お墓入門

小畠宏允
Obata Hironobu

石文社

目次

目　次

目次

イラスト／奥山　孜（おくやま・つとむ）

第1章　お墓ってな〜に

ご先祖様はお位牌とお墓のどちらにいるの？

最近の日本人は「無宗教」がたいへん好きなようですが、西欧で「無宗教」というと危険人物にされます。元大阪大学教授で僧侶《そうりょ》の故・大村英昭さんがヨーロッパの学会で日本人の仏壇とおつとめのことを話したら、ホーム・チャペルがあってホーム・ミサをしているなんて、宗教心のあるすばらしい国民だ、と感心されたそうです（大村英昭著『宗教のこれから』有斐閣）。「お墓参り」も、NHK放送文化研究所の調査では、宗教的行動のうち、「年に一、二回程度は墓参りをしている」が一九七三年の調査開始から六〇％を超えて最も多く、二〇一八年の調査でも七一％と他の宗教的行動を引き離しています（NHK放送文化研究所編『現代日本人の意識構造』NHKブックス）。

私たちは折にふれ仏壇のお位牌やお墓で先祖供養をしますが、さてここでクイズです。ご先祖様はお位牌とお墓のどちらにいるのでしょうか？

えー…　どちらにも？　おがんでいる方に？　いや、やっぱり両方かな？…

まず、人が亡《な》くなったらどうなるか、どこへ行くのか、それを柳田國男著『新訂　先祖の話』（石文社）で見ましょう。

柳田國男と『先祖の話』

民俗学の父・柳田國男先生は、敗戦が色こくなった昭和二十年四月から、日本のゆく末を心配されて『先祖の話』を一気に書きあげました。先祖を大切にする心があれば、戦後の混乱にも、けっして日本人であることを失うことはない、そのためには先祖のことを書いておかなければならない、という思いが遺言《ゆいごん》のように込められていたのです。

この本には、人が亡《な》くなったあとの魂《たましい》は三つの段階をたどる、と次のように書いてあります。これは民俗学から見た日本人の霊魂観《れいこん》といってよいでしょう。

◎死霊と荒魂《あらたま》

人が亡くなるとその魂は、不安定な「死霊」となって家の付近をさまよう、と信じられています。ときには生きている人に害をおよぼすこともあるので、荒々しい魂という意味の「荒魂《あらたま》」と呼ばれます。そこで家の人は死霊を大切に鎮《しず》める必要があります。仏教の追善供養《ついぜんくよう》や神道《しんとう》の鎮魂《ちんこん》・慰霊《いれい》祭がそうです。

死霊（荒魂）は、大切におまつりをしてもらうと、その家のわざわいを除き、幸福をもたらしてくれる除災招福《じょさいしょうふく》の力がある、と信じられています。

◎祖霊と和魂《にぎたま》

ほとんどの家では、追善供養を仏教で行ないます。最初が「四十九日」で、死後七日ごとに七回お寺さんに法要《ほうよう》をしてもらいます。次が百日目、あとは一周忌《しゅうき》、三回忌《かいき》、七回忌、十三回忌という風に、少しずつ間をあけながら仏壇やお墓で供養します。

こうして死霊は、年月とともに荒々しさも消え、安定し、やがてなごやかな魂という意味の「和魂《にぎたま》」と呼ばれる家の祖霊となって行きます。祖霊は家族や子孫にわざわいや害をおよぼすこともなくなり、むしろ繁栄《はんえい》と恩恵《おんけい》をもたらします。

◎神霊と氏神《うじがみ》

家族の供養をうけて三十年ほどすると、祖霊は血縁《けつえん》の家を離れ、個性を持たない霊になる、と信じられました。祖霊は、同じ地域（地縁《ちえん》）の神様の仲間に入るので「神霊《しんれい》」と呼ばれます。これが村の「氏神様《うじがみさま》」です。鎮守《ちんじゅ》の森（神社）では、村中で氏神様をおまつりします。氏神様は村全体の繁栄、特に農業が中心だったころは豊作（五穀豊穣《ごこくほうじょう》）をもたらし、人々の安全や願いをかなえる一方で、人々の生き方によって天災《てんさい》をもたらす、おそろしい一面もあります。

ちなみに三十三回忌または五十回忌が終わると家の供養から完全に離れるので、「弔《と》い切り（問《と》い切り）」といって、戒名《かいみょう》を書いた位牌を処分し、お墓を倒す「墓だおし」を行なうところもあります。

あの世はどこに？

◎魂のふるさと・山と海

『先祖の話』によると、亡くなった人の魂はふるさとの美しい山の頂上付近、あるいは海辺の人は海のかなたへ帰ると信じられていました。魂が帰るふるさとの山を「神奈備《かむなび》」、海のかなたを「妣《はは》の国」（妣《ひ》は亡母のこと）といい、沖縄では「ニライカナイ」という「常世《とこよ》の国」があります。そして山のふもとや海辺に社《やしろ》をたてて氏神様を定期的に招き、笛・

太鼓や踊りでにぎやかにおまつりをします。

◎地下の「あの世」

『古事記』や『日本書紀』の神話の中にイザナギの命《みこと》（男神）とイザナミの命（女神）の話があります。イザナミが亡くなって往《い》ったのは「黄泉《よみ》の国（根《ね》の国）」という洞穴の中、つまり地下にある国でした。とすると、日本には、三つの「あの世」があります。

私たちはどの「あの世」へ往くのでしょうか？　もうおわかりでしょう。山と海のかなたへ帰るのは形のない魂で、形のある亡骸《なきがら》は地下へと、それぞれの「自然」に帰るのです。

そのことをもう少し見てみます。

浮かばれない人・草葉《くさば》の陰《かげ》の父さん

私たちは亡くなった人に充分むくいることができないと「これではあの人が浮かばれな

い」といい、何かよいことがあると「草葉《くさば》の陰《かげ》できっと父さんも喜んでるよ」といいます（『太平記』『更級《さらしな》日記』には「苔《こけ》の下」とあります）。

驚いたことに私たちは、「浮かぶたましい」と「草葉の陰（お墓）のたましい」のちがいを千五百年以上も前からちゃんと知っていて、日常語で使い分けてきました。

実はこれは、古代中国の思想なのです。

◎『礼記《らいき》』という本

およそ三千年ほど前からの中国社会の礼に関する諸説を集めた『礼記《らいき》』という本があります。この本には葬儀やお墓のことがたくさん書いてあります。

日本で今も行なう一周忌や三回忌もここに出ていますが、この本は千五百年前の飛鳥《あすか》時代に百済《くだら》の五経《ごきょう》博士によって日本へ伝えられていました（『日本書紀』）。

◎二つのたましい・魂《こん》と魄《はく》

その『礼記』に「魂気《こんき》は天に帰り、形魄《けいはく》は地に帰る」（郊特牲篇《こうとくせいへん》）とありますが、これは「人が亡くなると、気体のように軽いたましい（魂気）は浮かんで本来のふるさとの天に帰り、形のある重いたましい（形魄）は本来のふるさとの大地へ帰る」という意味です。

ちなみに魂魄《こんぱく》の「魂」の字は「云＋鬼」で、「鬼《き》」とは人が死んだ状態のこと、「云《うん》」は「雨＋云」で「雲」の字となるように気体のような状態のこと。また「魄」の字は「白＋鬼」で、「白」の字は白骨を意味します。

◎陰と陽のたましい

また紀元前一四〇年頃にできた思想百科全書のような『淮南子《えなんじ》』という本の注には、「魄《はく》は人の陰神《いんしん》、魂《こん》は人の陽神《ようしん》」と説明があります。つまり、人の神《たましい》を宇宙の原理の陰陽にあてはめて、「魄は陰の神《たましい》であり、魂は陽の神《たましい》である」といっているのです。

◎死ぬこと・生きること

人が「生きている」のは、陰陽や魂魄が一つになって精神（魂・陽）と肉体（魄・陰）が活動している状態、そして「死ぬ」とは陰・陽や魂・魄が二つに分かれて、それぞれ宇宙大自然のふるさと（原郷《げんきょう》）へ帰ることなのです。

私たちはここから縁《えん》あって生まれ、そして生きて、やがて死んでまたそこへ帰るのです。

お盆・死者が帰ってくる日

旧暦七月十五日のお盆はご先祖様がわが家に帰ってくる日で、最大の国民的行事です。日本では推古《すいこ》天皇のときから行なわれています。お盆は仏教の『仏説盂蘭盆経《ぶっせつうらぼんきょう》』というお経にもとづいていますが、インド仏教と中国の儒教《じゅきょう》や道教も混ざって、今日の「先祖が家に帰る」行事になりました。

◎中国儒教の先祖まつり

儒教には古代からご先祖様を家に招いておまつりする「招魂《しょうこん》再生」という重要な儀式がありました。それは宗廟《そうびょう》（霊廟）で、地上に残った白骨（形魄）を祭壇にまつり、そこへ天（または山）へ上った霊魂（魂気）を招き入れる儀式です。

最初は、白骨の頭蓋骨《ずがいこつ》を祭壇にまつったそうですが、隋《ずい》の時代には木製の「神主《しんしゅ》」になっていました。これを「位牌」として宋《そう》の時代（九六〇〜一二七九年）に禅宗のお坊さんが日本へ伝え、私たちが現在目にする形になりました（加地伸行著『沈黙の宗教—儒教』筑摩書房）。

お位牌とお墓

位牌は、中国と日本では意味がちがいます。中国の位牌（神主《しんしゅ》）は魂魄《こんぱく》でいうと、「形《けい》魄《はく》」そのものの役割をしていますが、日本ではなぜか「霊魂（魂気《こんき》）」が宿るところ（依《よ》り代《しろ》）になりました。

ここで、最初のクイズの解答です。日本では位牌は「霊魂」が宿り、お墓は白骨となって「形魄」が帰る大切なところだったのです。

では、なぜ私たちはお墓を建てるのでしょうか？

大切なお墓の役割

◎『古事記』と陰陽

『古事記』の最初に天地万物が生まれる話として、「混元《もののはじめ》すでに凝《できあが》りしかども、気象《きとかたち》未《いま》だ効《あらわ》れず……、乾《てん》と坤《ち》と初めて分かれ……陰《おんな》と陽《おとこ》ここに開《うまれ》て二霊《ふたりのかみ》、群品《ばんぶつ》の祖《もとおや》となりたまいき」とあります。

ドロドロした原初の混沌《こんとん》（カオス）状態から天の気と大地の象《かたち》に分かれ、陰と陽（イザナミとイザナギ）が交合して万物や現象を生み出す様子が描かれていますが、これも古代中国の思想を採《と》り入れた日本の神話だったのです。

そしてこの中国の陰陽の原理を人のたましいに当てたのが魂魄《こんぱく》で、人が死ぬと魂魄は大自然のふるさとの陰と陽にそれぞれ帰るのです。

◎お墓とは

だからお墓は、人が亡くなって「魄《はく》」というたましいの宿る白骨を大自然のふるさと「大地」へ帰す大切な役割を果たしているのです。

そしてお盆には、墓前の灯明《とうみょう》から「魄《はく》」を移し、精霊《しょうりょう》棚の位牌前の「魂《こん》」の灯明と一つにすることで、ご先祖様は無事にわが家へ帰ってくることができるのです。

もしも散骨してお墓がないときは、ご先祖様の「魂《こん》」は相手の「魄《はく》」がなくて一つになれず、わが家へ帰ることができません。「魂《こん》」はきっと悲しげに、独りでわが家の回りをウロウロさまよっていることでしょう。

第2章　先祖供養ってな〜に

供養《くよう》ってどんなこと？

私たちは「供養《くよう》」という言葉をたいてい「先祖《せんぞ》供養」の意味で使っています。同じような供養に「追善《ついぜん》供養」や「卒塔婆《そとうば》供養」があります。しかし「どういうこと？」と聞かれたら、ちょっと困ります。まず、辞書を見ましょう。

◎『広辞苑《こうじえん》』はむずかしい

『広辞苑』（岩波書店）には、「三宝（仏・法・僧）または死者の霊に諸物《しょぶつ》を供《そな》え回向《えこう》すること」、「敬・行・利の供養、仏・法・僧供養などの種類がある」とあります。でも、これではなかなか読めませんし意味がわかりません。「死者の霊に諸物を供え回向すること」はどうにかわかりそうですが、回向ってなんでしょう？

そこで『岩波国語辞典』（岩波書店）を引くと、「死者の霊に供え物をして、死者の冥福《めいふく》を祈ること」とあり、冥福によみ仮名《がな》がついています。これなら「先祖供養」に近いのですが、冥福は「…？」です。

では、日本の「先祖供養」はどのようにしてできたのか、それから見てみましょう。

インド仏教の卒塔婆《ストゥーパ》供養《くよう》

二千四百年ほど前、おシャカ様（ブッダ。釈尊）が八十歳でご臨終《りんじゅう》のとき、弟子たちに最後の説法《せっぽう》をされ、「私の遺骨《いこつ》の供養（崇拝《すうはい》）には、お前たちはかかわるな」といわれました。それから葬儀《そうぎ》の方法を説《と》かれ、「火葬《かそう》のあとストゥーパをつくり花輪《はなわ》・香料《こうりょう》をささげて礼拝《らいはい》するなら、長いご利益《りやく》と幸せがある」といわれました（中村元訳『ブッダ最後の旅・大パリニッバーナ経』岩波文庫）。

そこで信者の王たちによって仏舎利《ぶっしゃり》（お骨）は八つに分けられ、その後二百年の間に八万四千の塔《とう》廟《びょう》、つまりストゥーパ（卒塔婆《そとうば》）が建てられました。残された在家《ざいけ》の信者たちは石柱《せきちゅう》や欄干《らんかん》の石を寄進《きしん》し、いつしかお坊さんも熱心《ねっしん》に卒塔婆を供養し礼拝《らいはい》し始めたのです。これが「卒塔婆供養《そとうばくよう》（お墓の供養）」の始まりです。

そこでインド仏教の死者供養ですが、まずおシャカ様のお骨（仏舎利《ぶっしゃり》）を納《おさ》めるストゥーパ（卒塔婆《そとうば》）に花やお香を供《そな》えて供養・礼拝して、自分の功徳《くどく》（善《よ》い行ないによる徳）を積《つ》みます。その功徳によって亡《な》き父母たちのあの世での幸福（＝冥福《めいふく》）を祈ったのです（中村元著『インド思想史』岩波書店）。

この仏舎利やストゥーパを供養すると大きな功徳があると説《と》いたのが、有名な『法華《ほけ》経《きょう》』（「方便品《ほうべんぼん》」第二）という大乗《だいじょう》仏教のお経《きょう》です。

中国仏教と先祖祭祀《さいし》

中国に仏教が伝わり、サンスクリット（古代インド語）の「プージャ」という言葉が「供養《くよう》」と訳されましたが、実は中国では、仏教が入る前から「供養」という言葉が儒教《じゅきょう》の書物の中にあったのです。おシャカ様が生まれる前の、紀元前二五〇〇年ころにできた『礼記《らいき》』（月令《げつれい》・季秋《きしゅう》）には、朝廷《ちょうてい》がお年寄《としよ》りや障害《しょうがい》のある人たちを扶養《ふよう》することを「供養《きょうよう》」といっています。また紀元八〇年ころにできた『漢書《かんじょ》』（文帝紀《ぶんていき》）では、先祖の霊廟《れいびょう》に供物《くもつ》を供《そな》えることを「供養」といっています。

◎仏教と先祖まつりの結びつき

中国では三千年前の「殷《いん》」の時代には「先祖祭祀《さいし》」という大切な儀式《ぎしき》がすでにありました。先祖をまつることとは、現代中国になるまで、国と家庭のとても大切な行事でした。それが仏教の教えと結びついたのです。

『広辞苑』にあるように、インド仏教では、仏《ぶつ》・法《ぼう》・僧《そう》の「三宝《さんぼう》」を供養することが本来の供養でした。だから「仏《ぶつ》」であるおシャカ様のお骨《こつ》（仏舎利《ぶっしゃり》）とそのお墓（ストゥーパ＝卒塔婆《そとうば》）の供養があくまでも中心なのです。人々はその供養をして功徳《くどく》を積《つ》み、それを亡《な》き父母へ差《さ》し向ける（回向《えこう》する）ことで「死者供養」をしたのです。

ところが中国仏教になると、直接、先祖や亡き父母を（霊廟《れいびょう》で）まつる儒教《じゅきょう》の「先祖祭祀《さいし》」の考えが仏教に採《と》り入れられ、この大きな変化が日本に影響《えいきょう》を与えます。このように、インド仏教の言葉を漢文に訳すとき、中国にあったもとの意味をそのまま仏教に採り入れることがしばしばありました。「供養」はそのよい例です。

日本独自の先祖供養

日本へは千五百年前に中国仏教が伝わり、明治になるまで漢文のお経だけが使われました。それでインド仏教と儒教《じゅきょう》、それに日本独自の習慣とがバランスよくミックスされた先祖供養となりました。これはほかの仏教国では見られないものです。

日本では、お仏壇《ぶつだん》にご本尊《ほんぞん》様（仏）をまつり、ご先祖様のお位牌《いはい》や浄土真宗《じょうどしんしゅう》のように法名軸《ほうみょうじく》をまつります。これは儒教の「霊廟《れいびょう》」(日本の仏壇にあたる)とインド仏教のおシャカ様（仏《ぶつ》）への供養がミックスされています。

またお墓参りをしてご先祖様を供養する習慣も、インドのストゥーパ（卒塔婆《そとうば》＝仏舎利《ぶっしゃり》を納めたお墓）供養と、中国の先祖供養（祭祀《さいし》）が結びついた形です。

しかし中国では、お墓参りは仏教と関係がありませんし、よほどでないかぎり霊廟にご本尊様をおまつりしません。たしかにインドや中国の供養の考えが入っていますが、インドや中国のやり方どおりでないのが、日本の先祖供養の特徴《とくちょう》です。

地獄《じごく》と追善供養《ついぜんくよう》

おシャカ様のころにはなかった教えが、その後に出てきました。「六道輪廻《ろくどうりんね》」や「地獄《じごく》と極楽《ごくらく》」などです。人が亡《な》くなると、次に生まれ変わるまでの四十九日間は、七日ごとにあの世（冥府《めいふ》）の七人の王による裁判《さいばん》を受けて、次に生まれる世界が決まる、というのです。そのために生前の善業《ぜんごう》と悪業《あくごう》を判定《はんてい》します。もちろん最善の人は裁判なしに極楽へ直行できますが、極悪非道《ごくあくひどう》の人もまた裁判ぬきでそのまま地獄へ堕《お》ちます。

ところが中善・中悪の人の行先は天界・人間界・阿修羅《あしゅら》界・餓鬼道《がきどう》・畜生《ちくしょう》界・地獄の六つの世界（六道）があります。この六つの世界をくり返し無限《むげん》に生まれ変わることを「六道輪廻」といいます。しかし極楽へ往《ゆ》くともう輪廻はありません。これが「解脱《げだつ》」で、輪廻からの解放《かいほう》です。

冥界《めいかい》の王たちは、さまざまな方法で生前の行ないを突《つ》きつけて死者をきびしく責《せ》めますが、

最後にかならず、遺族《いぞく》による「追善供養《ついぜんくよう》」のことを調べます。追善供養によって、あの世(冥界《めいかい》)や六道のどこかへ生まれ変わって苦しむ故人《こじん》を救《すく》うことができるからです。

人が亡《な》くなって、四十九日、百ヶ日、一周忌《いっしゅうき》、三回忌、七回忌、十三回忌……お盆、お彼岸に行なう供養が「追善供養《ついぜんくよう》」です。ちなみに百ヶ日、一周忌、三回忌はみな儒教の習慣で、先ほどの『礼記《らいき》』に出ています。ただ百ヶ日は、中国では死後百日目くらいの「卒哭《そっこく》」の日に当たり、日本でこれを「百ヶ日」といったようです。

◎追善供養はどれくらい効《き》き目があるの?

『地蔵本願経《じぞうほんがんきょう》』というお経に、「追善供養をすると、その七分の一だけが亡き人に回され、残りの七分の六は供養した本人の功徳《くどく》になる」とあります。ということは、四十九日の間、七日ごと七回の追善供養をすると、ちょうど満願《まんがん》になり、晴れてめでたく極楽往生《ごくらくおうじょう》できる仕組《しく》みになっています。

このお経にはまた、「生前に、あらかじめ自分の死後の供養をしておくと、すべて功徳になる」とあります。これを「逆修《ぎゃくしゅう》」「預修《よしゅう》」といいます。生前に戒名《かいみょう》をいただいて、お位牌《いはい》をつくり、お墓を建てて行なう法要《ほうよう》のことです。

お墓供養の意味と仕方は？

では、お墓の「供養」はどうやるのでしょうか。

密教では、お水、塗香《ずこう》、お花、焼香、飲食《おんじき》、灯明《とうみょう》の六供養をあげます。これが基本です。

しかし各宗派とも少しずつちがいます。くわしくは各宗派の手引書《てびきしょ》を見てください。

たとえば日蓮宗《にちれんしゅう》では「死者の冥福《めいふく》を祈り成仏《じょうぶつ》を期《き》す信仰《しんこう》のいとなみ」、「善根功徳《ぜんこんくどく》をつみ供養物などをささげる」仏事とあります。お墓掃除《そうじ》のあと、お水、お花、お線香、お供物《くもつ》（菓子《かし》と果物《くだもの》）を供え、数珠《じゅず》をかけて合掌《がっしょう》し「お題目《だいもく》」をとなえる、と『仏事供養のこころえ』（東京都西部宗務所）にあります。そして「卒塔婆《そとうば》供養」をすすめます。

浄土真宗《じょうどしんしゅう》では、亡《な》き人はアミダ様によってす

でに浄土へ往《い》っているので追善《ついぜん》という考えがありません。霊《れい》も認《みと》めないので、墓誌《ぼし》は「法《ほう》名碑《みょうひ》」、墓石は「南無阿弥陀仏」と刻《きざ》むことをすすめ、「卒塔婆供養」をすすめません。お墓掃除《そうじ》や供物《くもつ》は日蓮宗と同じですが、合掌《がっしょう》して「お念仏《ねんぶつ》」をとなえます。そしてお墓は「かけがえのない命を伝えて下さったご先祖に感謝《かんしゃ》しつつ、その命を精一杯《せいいっぱい》輝《かがや》かせて生きてくれ、というご先祖の願いを聞く場所でもあります」、と『仏事のイロハ』(本願寺)に書かれています。

◎すばらしい家庭を築《きず》くお墓の先祖供養

お墓の先祖供養は、ご先祖様のご冥福《めいふく》を祈り、尊《とうと》い生命《いのち》を残してくれたご先祖様を自分の身体《からだ》をとおして感じ、ご先祖様を大切にすることだ、と私は思います。お墓参りとその心を代々《だいだい》、子供たちへ伝えているかぎり、すばらしい幸福な家庭になる、と信じています。亡《な》き祖父母《そふぼ》や父母と、家族のみんなが信じ合えてこそ、人として生きている意味の第一歩があるからです。それが本当の「家族のきずな」だと思います。

第3章　なぜお墓は石なの

なぜお墓は石でつくるの？

以前、ステンレスやセラミック（陶磁器《とうじき》）製のお墓が新聞やテレビで話題になりましたが、サッパリ人気がなくて、すぐに消えました。日本人はどうしても、「お墓は石で」という気持ちが強く、石以外はガンとして受け付けません。それは、なぜなのでしょうか？

日本は木の文化、ヨーロッパは石の文化といいますが、私のように日本の「石文化」に注意して見ていますと、日本にも驚くほどたくさんの石の文化が全国各地に残っています。もちろん巨大な石造モニュメントや、ピラミッド、石の宮殿、それに石の建物で都市をつくった歴史は日本にありません。

しかし日本には古代から、石を「聖なるもの」として、斎《いっ》きまつった遺跡がいたるところにあります。たとえば神霊の依《よ》り代《しろ》という「盤座《いわくら》」「石境《いわさか》」「磯城《しき》」、縄文時代の「環状列石」（古代人の墓）、蘇我馬子《そがのうまこ》の墓という「石舞台」（奈良・飛鳥《あすか》）の巨大な石の古墳、あるいは中世から流行する道祖神や石仏などを含めると、数え切れないほどの石造物や自然石があります。

私はよく『古事記』や『万葉集』を読みますが、『古事記』には「石」「岩」「磐」という字がとてもたくさんあることに気づきます。数えたことはありませんが、「木」とは比較にならないほど多いのです。

日本列島と神々の誕生

『古事記』にある日本最初の「墓石」のお話の前に、日本列島と神々の誕生を「神代《かみよ》」の物語で見ましょう。

日本列島は天の神々が、イザナギの命《みこと》という男の神様とイザナミの命という女の神様の二神に「国生み」を命じて生まれました。イザナギとイザナミが天上から下をのぞくと、そこは何もなくドロドロした重油のような世界でした。

そこで天《あめ》の浮橋《うきはし》から天《あめ》の沼矛《ぬぼこ》を差し込み、かきまぜて引き上げると、矛の先からコロコロと塩が固まるようにしてできたのがオノゴロ島です。二神はその島に降りて、天《あめ》の御柱《みはしら》を立て、「柱の左右から回って出会ったところで国を生もう」と誓います。

まず淡路島、次に顔が四つある伊予《いよ》の島（愛比売《えひめ》・讃岐《さぬき》・粟《あわ》・土佐《とさ》＝四国）、……筑紫《つくし》の島も顔が四つ（筑紫・豊《とよ》・肥《ひ》・熊曽《くまそ》の国＝九州）、……最後は秋津島《あきつしま》（＝本州）で、日本には八つの島々からなる「大八島国《おおやしま》」が誕生しました。

国生みが終わると、いろいろな神々を生みました。石・土・風・海・木・山・野・鳥・穀物などの神々で、イザナミは「火（迦具土《かぐつち》）の神」を生んだとき、御陰《ほと》を焼かれて病気になりました。その間も水や食物の神々を生んで、全部で四十もの神々が生まれました。

黄泉《よみ》の国と千引石《ちびきいわ》

ここからが日本最初の「墓石」の神話です。

イザナギはイザナミの亡骸《なきがら》の枕辺《まくらべ》で「美しい妻が火の神と引き換えとは！」と泣き、涙から生まれたのが泣沢女《なきさわめ》の神で、葬式の「泣き女」の始まりです。イザナミは亡くなると、出雲《いづも》の伯伎《ははき》との境にある比婆《ひば》の山に葬られました。

イザナギは妻に会いたくてあの世の「黄泉国《よみのくに》」へ行くと、イザナミが出てきました。イザナギは「愛《いと》しい妻よ、私たちの国づくりはまだ完成していない。どうか帰ってきておくれ」と頼みます。

イザナミは「なぜもっと早くきてくれなかったの。もう手遅れです。私はあの世の食べ物を食べてしまったので戻れません。でもわざわざおいでになったのですから、黄泉《よみ》の国の神様に相談いたします。決して私を見ないで！」といって宮殿の中へ入りました。

長く待たされたイザナギは、櫛《くし》の一本を折って火をともすと、そこにはウジ虫がわき、身体には八つの雷《いかづち》が宿るイザナミの亡骸《なきがら》があったので、驚いてイザナギは逃げ出しました。

イザナミは「私に恥をかかせた」と、黄泉の国の魔女たちに追わせ、イザナギがなんとか逃れると、次には黄泉の国の軍隊を差し向けました。それもなんとか退《しりぞ》け、イザナギはとうとう黄泉比良坂《よもつひらさか》まで逃げてきたとき、イザナミ自身が追ってきたので、イザナギは千人でやっと動かせる巨大な「千引石《ちびきいわ》」で出口を塞《ふさ》ぎました。

この千引石が、神話に出る「墓石」の始まりです。そこでイザナギとイザナミは、千引石（墓石）を中に挟んで最後の別れの言葉を交わしました。

イザナミ、「あなたがこんな仕打ちをするなら、あなたの国の人間を日に千人殺します！」。

イザナギ、「あなたがそうなら、私は日に千五百もの産屋《うぶや》を立てて見せる！」。

これは一日に千人が死に、千五百人が生まれることですが、「人は死ぬ運命にあるが、日本の国は人の数が増えつづけて栄える」という神話的予言です。

このあとイザナギが（黄泉《よみ》の国の）死の穢《けが》れを身禊《みそぎ》すると、天照大神《あまてらすおおみかみ》、月読《つくよみ》の命《みこと》、スサノヲの命などの神々が現われ、天《あま》の岩戸《いわと》や八俣《やまた》の大蛇《おろち》退治などおなじみの神話が展開します。

千引石《ちびきいわ》（墓石）の意味

さて神話の「千引石」、つまり「墓石」に込められた意味とはどんなことだったのでしょうか？　それは私たちがいま使っている墓石の源流となっている点に注意してください。

◎地下の死者の国の出口を塞《ふさ》ぐ石

第一に千引石《ちびきいわ》（墓石）は、イザナミの命《みこと》が往《い》った「黄泉《よみ》の国」（死者の国）の出口を塞《ふさ》ぎ、死者がこの世に自由に出てこれない役割をしています。また墓石をむやみに開けてのぞいてはいけない、死者が大地のふるさとで安らかに眠っている邪魔《じゃま》をしてはいけない、という意味もあります（第１章「お墓ってな〜に」参照）。

◎あの世とこの世の境界石《きょうかいせき》

二つ目は、千引石はあの世とこの世を分けるちょうど境界の役目があります。墓石の前にぬかずくのは、死者の世界と向き合うことですから、普段とまったくちがう状況で、亡くなったかけがえのない家族やご先祖様とともに過ごす、人間として大切な時間という意味があります。

境界石はのちに「道祖神」「塞《さえ》の神」や墓地の入口の「六地蔵」、四つ辻・村はずれのお地蔵様などになります。どれも知らない異界と日常の世界とを隔《へだ》てる石という意味です。

外敵や疫病《えきびょう》・厄病神《やくびょうがみ》の侵入を防ぎ、あの世で苦しむ死者を救い、知らない世界へ旅立つ人や、そこに暮らす人々の生活を守るなど、さまざまな民俗、仏教、神道の意味が込められています。

ちなみに「賽《さい》の河原」は仏教的なこの世とあの世の境界で、お地蔵様は幼くして亡くなった子供たちの苦しみを救うためにそこにいますが、千引石《ちびきいわ》で出口を「塞《ふさ》い」だ「塞《さい》」と賽の河原の「賽《さい》」は字がとてもよく似ています。庶民の感覚では、そんなことから塞《さえ》の神（道祖神）と村はずれのお地蔵様とが習合して、いつの間にか同じような意味に受け取られるようになったのかもしれません。

◎死者と生者を仲立ちする石

第三は、千引石も墓石も、生きているものと亡くなったものとが会話をするちょうど仲立ちの役割をする石で、これがもっとも大切な意味です。『古事記』では、イザナギとイザナミの会話は日本の将来の予言ですが、お墓は本来「魂の会話」をするところだ、と私は思います。それはむずかしいことではありません。人と人とが本当に信頼し、お互いにかけがえのない大切な存在であることを確認し合う会話のことです。

亡くなった肉親の魂と、残された家族とが、心の中で素直に会話をするところがお墓です。それが「家族のきずな」の始まりだと私は信じています。神話は、お墓（千引石《ちびきいわ》）を挟んで死者と生者《しょうじゃ》が会話をすることの大切さを教えてくれているのです。

石の霊力

日本人は神代《かみよ》の昔から「石」に霊が宿ると考えてきました。だから神霊が宿る「磐座《いわくら》」を石でつくり、「千引石」が最初のお墓となったのです。

日本には八百万《やおよろず》の神々がいますから、自然界のあらゆるものに霊が宿っていますが、石は特別な霊力があると思われたのです。たとえば、『古事記』にはスサノヲの命《みこと》が天照《あまてらす》大神《おおみかみ》に身の潔白を明かす「誓約《うけい》」のとき、天照大神の八尺《やさか》の勾玉《まがたま》に息を吹きかけると五人の男神が生まれた話があります。つまり勾玉は霊力のある石だったのです。

『日本書紀』大化二年の「薄葬令《はくそうれい》」には「王より以下、小智《しょうち》以上の墓は小さな石を用いよ」、「庶民は土に埋葬せよ」とあります。しかし庶民も、河原の丸い石（枕石《まくらいし》）を霊が宿る依《よ》り代《しろ》にして埋葬地に置いた、と私は思っています。映画『午後の遺言状《ゆいごんじょう》』（新藤兼人《かねと》監督）

に棺桶《かんおけ》の釘を丸い石で打つシーンがあり、今もその民俗習慣が各地に残っているからです。

日本人が古代からお墓を死者の霊魂が宿る依り代の「石」でつくるのは、「石」の霊力を信じる伝統があったのです。それは一朝一夕に失われるものではありません。それが二千年の伝統の重みです。「お墓は石」という日本人の心情にはこうした神話と歴史の背景があったのです。

また、柳田國男著『石神問答』(筑摩書房)、石上堅著『新・石の伝説』(集英社文庫)、池上隆祐編『石―郷土復刻版―』(木耳社)、野本寛一著『石の民俗』(雄山閣)などには石に関する神話や民間伝承が無数にありますので、興味があれば読んでみてください。

第４章　よいお墓ってあるの

よいお墓と悪いお墓？

私は講演のあとの雑談で、「お墓には《よいお墓》と《悪いお墓》があります」というと、「墓相《ぼそう》のことですか？」ときかれました。

「いいえ、墓相ではありません」

「それじゃ、立派なお墓のことですか？」

「私のいう《よいお墓》は墓相や外見のことではありません」

吉相のお墓や広い区画に立派な石材とすぐれた技術でつくられたお墓は、見ていても気分がよいものです。「すごいものだなぁ」と感心しますが、そのお墓がかならずしも私のいう《よいお墓》であるとは限りません。お墓には、墓相や外見の立派さとは別に、もっと大切なことがあるように思うのです。

『深い河』とお墓

お墓にはたいてい亡くなった夫か妻、お父さん、お母さん、おじいちゃん、おばあちゃんなど、ご先祖様たちが眠っているはずです。しかし生きている私たちは誰一人、亡くなった経験がなく、お墓に入ったことがありません。そこで私は《よいお墓》をつくるには、自分がお墓に入ったときのことを一度じっくり考えてみてください、これまでの「人生」を静かに振り返ってください、と提案したいのです。今「人生」という言葉を使いましたが、それには少し理由《わけ》があります。遠藤周作さんの遺作『深い河』（講談社）に「人生」と「生活」のちがいが書かれているからです。その部分を引用します。

＊　＊　＊

「お前」と彼は呼びかけた。

「どこに行ったのだ」

かつて妻が生きていた時、これほど生々しい気持ちで妻を呼んだことはない。妻が死ぬまで彼は多くの男たちと同じように仕事に熱中し、家庭を無視することが多かった。愛情がないわけではない。人生というものはまず仕事であり、懸命に働くことであり、そういう夫を女もまた悦《よろこ》ぶと考えてきた。そして妻のなかに自分にたいする情愛がどれほど潜《ひそ》んでいるか、一度も考えなかった。同時にそんな安心感のなかに彼女への結びつきがどれほど強くひそんでいたかも、自覚していなかった。……(中略)……。

磯辺(主人公)は人間にとってかけがえのない結びつきが何であったかを知った。……(中略)……。

だが、一人ぽっちになった今、磯辺は生活と人生とが根本的に違うことがやっとわかってきた。そして自分には生活のために交わった他人は多かったが、人生のなかで本当にふれあった人間はたった二人、母親と妻しかいなかったことを認めざるをえなかった。

「お前」と彼はふたたび河に呼びかけた。

「どこに行った」

(『深い河』第十章・講談社文庫より)

＊　＊　＊

平成六年ころ、今の世の中で「お墓の意味」をどう捉えてよいかわからず、私は迷路をウロウロしていました。そのときこの本と出会って「眼からウロコが落ちる」ような体験をしました。それまでの私は、お墓を「生活」の中で考えていたのです。

遠藤さんのいう「人生」とは「魂《たましい》」の問題ではないか、と気づいたのです。「人生」とか「魂」といっても、けっしてむずかしい哲学や宗教のことではありません。遠藤さんの言葉を借りると、「人間にとってかけがえのない結びつきが何であったか」を知り、「人生のなかで本当にふれあった人間」を思うことです。

この世に生まれて、利害や損得をぬきにふれ合い信じ合うことが、どんなにかけがえのないことか、そこに気づくことです。それがわかる人を本当に「心の豊かな人」、「教養のある人」だと私は思います。学問・知識・お金・物質だけが「豊かさ」ではないはずです。本当の豊かさがわかった上で学識や財産があるなら、もちろんそれに過ぎることはありません。

「人生」と「生活」のちがい

西洋のキリスト教社会に古くからラテン語の「メメント・モリ」＝「死を思え」という教訓があります。宗教や歴史のちがう言葉をそのまま今の日本に持ち込むのはあまり感心しませんが、私はこれを日本流に応用してみたら、と思っています。日本流とは、自分の死だけでなく、お墓のご先祖様も含めて「死を思え」と。

《よいお墓》にもどります。私がいいたいことは、お墓は「人生」や「魂」の問題と切っても切れない、ということです。遠藤さんはこの作品で、「人生にとって家族はかけがえのない大切な存在である」ことを現代の日本人に強く訴えたかったはずです。

日本は昭和二十年の終戦ののち家制度を廃止してからバラバラの核家族となり、「家族のきずな」を見失いかけています。お墓も急激に変わりつつあります。だから遠藤さんは、いつの時代にも変わらない人間のきずなや、「人生」と「生活」のちがいに気づくことの重大さを伝えたかったのだと思います。それはそのまま現代の家族とお墓の問題にもあてはまります。

こんな時代だからこそ私は、お墓で眠っているあなたの夫や妻、お父さん、お母さん、おじいちゃん、おばあちゃんとの、かけがえのないつながりを一つひとつ思い出してほしいのです。あなたがお墓に入ったときの気持ちを想像してほしいのです。あなたがお墓に入ったら、親としてあるいは祖父母として、残された家族の一人ひとりにどんな願いを抱いているか、を。

よいお墓と魂の会話

お墓には「家族のきずなを確認し合う場所」というとても大切な役割があります。どんなに立派なお墓でも、家族の気持ちがバラバラでお互いに信じ合えないとか、お墓参りをする家族がお墓の役割を知らなかったら、《よいお墓》とはいえません。お墓を建てるだけでは《よいお墓》ではありません。家族の気持ちが《よいお墓》をつくるのです。

「動物は母親はわかるが父親を知らない。万物《ばんぶつ》の霊長《れいちょう》である人間だけがそれを知っている」といって古代中国人は先祖（父系）を大切におまつりし、特に「幼い子には祖父母の霊が宿《やど》る」と信じてきました。それは日本でも同じでした。

では、現代に生きる私たちは、子供たちに「人生」と「生活」のちがいをどうやって教えるのでしょうか？　驚いたことに、ひと昔前の日本人は、そんなことは、どんな家の親でもちゃんと知っていたのです。それを私は「魂の会話」と呼んでいます。

今の日本の家庭にもっとも欠けているのはこのことではないか、と私は思うのです。

かつてはどこの親でも、小学校へあがらない子に、「ハイ、〇〇ちゃん、お仏壇にお供えして」といって、お仏飯《ぶっぱん》とお茶（お水）を供えさせました。仏壇に仏飯とお茶をあげるのは子供の日課でした。

また、いただき物を仏壇に供えないで開けようものなら、親からこっぴどく叱られました。誰しもそんな経験が一度や二度はあるはずです。これが私のいう「魂の会話」の第一歩です。子供のころは神妙な振りをして、親のいいつけどおりおりリンを鳴らし、手を合わせたものです。

かつての日本の家庭では、そうやって物心もつかない幼いときから、ご先祖様との「魂の会話」の訓練をちゃんとしていました。今の日本にはこれがないのです。こうした訓練は子供が幼いうちでないとうまくいきません。大きくなると、恥ずかしがったり屁理屈《へりくつ》をこねて素直にできなくなるからです。それは「もっとも健全な日本人の宗教だ」と私は思います。お墓やお仏壇はまさに「日本の健全な宗教が生きているところ」です。私は○○教や○○宗という特定の宗教だけが宗教ではないと思っています。

魂の会話の訓練を受けた子供は、やがてそのことがご先祖様を含む大切な「家族のきずな」となることを自然と身につけて成人します。そして今度は親となってわが子に同じことを教え、親から子へ、子から孫へと何百年もの長い間にわたって「魂の会話」の伝統を受けついできたのが戦前までの日本の家庭でした。

今は「心の時代」だそうですが、かけ声ばかりで、いったい何をしてよいのか、ちっともわかりません。私はそれを、遠藤さんのいう「人生」や「魂の会話」ができることだろう、と思うのです。亡くなってお墓やお仏壇にいるご先祖様を含め、生きている家族が、家庭の中で信頼し、お互いかけがえのない存在であることを確認し合えるような会話が、本当の「心の時代」を築くはずです。

私のいう《よいお墓》とは、お墓の前でご先祖様と魂の会話ができる家族のお墓のことなのです。

そのためには私たちの世代が、幼い子供たちに、もっと死者との会話の練習を家庭の中で教えなくてはならない、と思うのです。

今日から早速、かわいいお孫さんに「魂の会話」のすばらしさを教えてあげてください。

第5章　お墓はたたらない

深刻なお墓の相談者

電話の向こうから少し遠慮《えんりょ》がちに、しかし何か深刻な感じで「あの……、お墓って方角が悪いと、本当にタタリがあるんですか?」と、若い女性の声がしました。これは以前、私が実際に経験した話です。そのときの私は、ある墓石店の全国組織で開設している「お墓の無料電話相談」の相談員を五年ほどしていて、何度も同じような質問を受けたのです。

「墓石の色が悪いと家族が病気になるのか?」

「墓石に大きな斑点《はんてん》や傷のようなものがあるから、孫や子供が事故に遭《あ》う、といわれたが、本当か?」

「建てた日が(たとえば閏年《うるうどし》、土用《どよう》、仏滅で)悪い、といわれた」などなど、よくこんなにあるものだ、と感心させられました。

◎気分の悪い話

こんなことが本当にあるのでしょうか? 「そんな非科学的なことは絶対にない!」と、普段はそう思っている人でも、実際にこんなことをいわれると、決して気分のよいものではありません。たいていの場合、まったく平気でいられる人はごくわずかです。

それは「非科学的なこと」なので、誰もはっきりと、「正しい」とも「間違っている」ともいえないからです。

相談者が明るく笑い出した

ところがしばらくその相談者と電話で話していると、「アハハハハ、そうですよね、私ってどうしてそこに気がつかなかったのかしら……」と突然その女性が明るく笑い出したのです。

私は別に、むずかしい話をしたわけではありません。発想を一八〇度ひっくり返しただけですし、ごく当たり前の、誰もが知ってることばかりです。だから、ちょっと発想を逆転すればみんな納得できるはずです。

でも同じ相談が多いのは、きっと、そのことに気づかないからなのでしょう。

◎あなたがお墓に入ったら、どうします？

私はこんな話をしたのです。

「墓相《ぼそう》」は本来、よりよいお墓をつくるためのものですから、「お墓の方角が悪い、日にちが良くない」からといってお墓がタタルなんて、私には信じられません。

ところで、縁起《えんぎ》でもないことをいいますが、一度、あなたがお墓に入った場合を考えてください。子供さんがやっとの思いで建てたお墓なら、あなたはきっと「ありがとう」って、心から感謝すると思うのですが、どうですか？

〈もちろん、私はそうですが……〉

それでは、そのお墓の「方角が悪い」、「建てた日が悪い」、「墓石の色がどうの」といって、あなたの子供さんやかわいいお孫さんに「交通事故を起こしてやろう」とか「手や足を病気にしてやろう」とは考えませんよね？

〈そんなこと、とんでもない。絶対に思いません〉

だったら、安心してください。今お墓に入っていらっしゃるご両親も、同じ気持ちですから。それとも、余程ひどいことでもしたのですか？

〈いいえ、そんなことはしていません！〉

失礼なことをいって、ごめんなさい。でも、もしそんなことがあっても、お墓の中のご両親は、あなたやお孫さんたちに「何か悪いことを起こしてやろう」などとは、絶対に考えません。

◎亡《な》くなったらホトケ様

亡くなった方はみなさん「ホトケ様」になっておられますから、「済《す》まなかった」という気持ちさえあれば、すべて許して下さるんです。それがホトケ様でしょ？「お葬式」をしたり、「お墓」を建てたりするのは、亡くなった方にホトケ様となっていただくためなのです。だから、亡くなることを「成仏《じょうぶつ》した」というでしょ。

〈ええ〉

仏教では、お葬式で仏様の弟子となった証《あかし》に「戒名《かいみょう》」という新しい名前をつけますね。

そして「極楽浄土《ごくらくじょうど》」という楽しいあの世へ往《い》っていただくのです。

お位牌やお墓に戒名を書くのも、すべてそうした意味が込められているんです。

〈はぁ、少しも知らなかった……　あっ、そうそう、そういえば、ウチも立派な戒名をいただきました！〉

それなら何も心配することはないじゃないですか。

〈あら、ホント……。でも……、しつこいので、困ってるんです〉

無責任な親切心

相談者はとても悩んでおられました。この相談者に、「お墓の建て方が悪い」といったのは、普段あまりつき合いのない親戚《しんせき》のご婦人だそうです。でも「知らない仲ではないので、むげに追い返すわけにもいかない」から困るのです。

こういう人には共通点があって、本人は「親切」と思っていますし、決して、自分のいったことに責任をとる気がないのです。それは相手の気持ちにおかまいなく「親切」を押し売りする「無責任さ」です。そうでなければ、とてもこんなことはいえません。その上、本人に悪気《わるぎ》がないので、やっかいなのです。

◎無責任者の撃退《げきたい》法

こういう人には、よい撃退法があります。私はその話をしました。

それはお困りでしょうね。だったら今度その方に会ったときは、「オバさん、あれからいろいろ考えたけど、私は今のお墓で父も母も絶対満足してるって信じてるの。だからこのままでいいの。でもオバさんがせっかく心配してくれるのでいうとおりに直します。だけど費用は出してネ。私たち無理してお墓を建てたから、これ以上はつくり替えるだけの余裕《よゆう》がないの」といってみてください。二度とお墓のことは口にしなくなると思います。

その人は、自分でお金を出す気なんかまったくないのでしょう。だから、あなたの気持ちも考えずに無責任なことを平気でいえるのです。そう思いませんか？

〈アハハハハ、本当に。そのとおりですわ。どうして気がつかなかったのかしら、今度はきっとそういいます！　なんだか気分がスーッとしました。今日までずっと、そのことでユウウツだったんです〉

それでもまだ「お墓がタタル」っていうようなら、「私は子供たちが建ててくれたお墓ならたとえ方角がちがっていても閏《うるう》年でも心から感謝するわ。死んでも子供や孫にタタろうなんて思わない。だから父や母が私たちにタタルなんて信じられないわ。絶対安心してるの。万一、家族に何かあっても、お墓が原因だなんて考えられない。オバさんだって息子の○○さんがオバさんのために一生懸命に建てたお墓を『建てた日が悪い』、『方角が悪い』、『墓石の色や形が悪い』といって、○○さんやその子供に、本気で交通事故なんか起こそうって考える？　私にはそんなおそろしいこと、とても信じられない」と、キッパリいってください。これは信念の問題です。

〈ホントによくわかりました、ありがとうございました。きっとそうします。勇気がわいてきました〉

本当に大切なことは

その女性は、晴れやかな声で何度もお礼をいわれました。でも、話はここからがもっと重要なのです。もう一度、あなたがお墓に入ったときのことを考えてみてください。実は、こちらの方が大切なんです。あなたがお墓に入って一番寂《さび》しいのはどんなときですか？ また、一番うれしいのはどんなときですか？

私だったら、子供たちが家族そろって元気にお参りに来てくれるのが一番うれしいのですが、どうですか？　でも、せっかくお墓を建ててくれても、だーれもお参りに来てくれなかったら、とても寂しいでしょう……。

〈それが一番イヤです。一人ボッチだなんて〉

だったら、あなたも子供さんたちをつれてお墓参りをたくさんしてあげてください。きっとご両親はよろこばれますよ。お墓はまず、ご家族で折にふれてお参りすることが一番大切なんです。

〈今度の休みにお墓参りに行ってこようかしら〉

お参りするからお墓が本当の「お墓」になるのです。

◎**お墓の前で**

お墓の前では、ご両親に、最近の家族の出来事をできるだけたくさん報告してください。私ならそれが一番気がかりだなぁ。「○○がこの前、ホームランを打ったよ」とか「○○子は、今ちょっと受験勉強中なの」と、何でもいいんです。わかるでしょ。

〈私もきっと、家族のことが一番心配になると思います〉

何かしたくても、もう何もできないのですから、心配ですよ。だから家族の幸せを願ってるのは、○○神社の神様や他人よりも、亡くなったご両親やおじいちゃん、おばあちゃんが一番なのです。

自分がお墓に入ってからのことを考えると、誰でもすぐわかることなんですがねぇ。

〈私も本当にそう思えるようになりました〉

お墓にはこんな大切な「家族のきずな」があるのです。

思い立ったが吉日

何か特別なお墓を希望されるのなら別ですが、普通にお墓を建てるのでしたら、これまで述べてきたとおり、方角・建てる日・墓石の色や形は何も気にする必要はありません。一日も早く、「お墓」という安らかな世界で眠っていただくことが一番です。お墓を建てるのは「思い立ったが吉日」です。

第6章　石塔ってな～に

墓と塔

日本には古代から今日まで、二つの系統のお墓があります。中国生まれの「墓」と、インド生まれの「塔」です。不思議な気もしますが、「墓」と「塔」は長い間に、日本人の精神風土の中で独自のお墓となりました。しかしそれぞれ、生まれ故郷の意味や形を確かにとどめています。

墓という字

「墓」は三千年以上前に中国で生まれた漢字で、「土」と「莫《まく》」からできています。「莫」は覆《おお》い隠《かく》す、という意味なので、「墓」とは、土で死者を覆い隠す埋葬《まいそう》地のことです。

古代から中国には埋葬の方法がいくつもあって、それぞれ名称（漢字）がちがいます。『周礼《しゅらい》』（中国の古典）に、庶民は盛り土をせず樹木を植えないので、冢《ちょう》といわずに墓という、とあります。『説文《せつもん》』（同）には、冢《ちょう》は高く盛り土をした墓、とあり、「塚《つか》」と同じ漢字です。盛り土したお墓には「塚（小高い墓）」、「墳《ふん》（広くて高い墓）」、「丘《きゅう》（土饅頭《どまんじゅう》）」「塋《えい》（かがり火をたく大きな墓）」などがあります。身分によって高さと広さが定められていて、それぞれちがう漢字が使い分けられています。特に皇帝(天子)のお墓は「山」・「陵《りょう》」・「山陵《さんりょう》」と呼ばれました。

中国のお墓には「先祖を大切におまつりする」という重要な意味があります。皇帝として初めて墓前で祭祀《まつり》をしたのは秦《しん》の始皇帝《しこうてい》（前二一〇年没）でした。それまでは先祖の霊を「宗廟《そうびょう》」でおまつりするだけでした。

古代日本も中国文化を採り入れて、お墓を区別しました。『倭訓栞《わくんのしおり》』には、平らなるを墓といい、盛り土を冢《ちょう》といい、高きを墳という、とあり、江戸時代にも中国の意味が生きていたことがわかります。「陵」・「山陵」は「みささぎ」と読みますが、七四〇年に、天皇・皇后・皇太后のお墓の名称は「山陵」と定められました（『続日本紀《しょくにほんぎ》』）。

また「墳墓《ふんぼ》」という言葉も「筑紫君磐井《つくしのきみいわい》の墳《は》墓《か》あり」（『筑後国風土記《つくしのくにふどき》』逸文《いつぶん》）と古くから使われています。現代ではお墓一般をあらわす法律用語です。

重要なことは、中国からお墓と一緒に「先祖を大切におまつりする」考えが日本へ入ったことです。それが古代日本の「古墳」です。そして私たちのお墓参り（先祖祭祀《まつり》＝先祖供養）としても続いています。

ちなみに日本独自のお墓の名称に「奥津城《おくつき》」があります。『万葉集』（三・挽歌《ばんか》）に初めて見えます。今でも神道のお墓には「奥津城」「奥都城」「奥城」（いずれも「おくつき」と読む）と書かれています。

「塔」の語源は卒塔婆《ストゥーパ》

六世紀に日本へ仏教が伝わると、お寺に「塔」という、新しいおシャカ様のお墓が建てられました。お墓を意味する「塔」は古代インド語の「ストゥーパ」です。中国では「卒《そ》塔婆《とうば》」「卒都婆」などの字があてられ、略して「塔婆《とうば》」「塔」ともいいます。

インドの「塔」は欧米のタワーともちがいます。また卒塔婆も塔婆供養《くよう》に使う今の板塔婆ではありません。「サンチーの大塔」はおシャカ様の立派なお墓です。今から二千四百年ほど前におシャカ様は亡くなられました。当時インドでは仏教だけでなく、ほかの宗教でもお墓のことをストゥーパといいました（ハーヴェル著『古代中世インドの建造物』）。しかし仏教を信じる人々にとって、ストゥーパはおシャカ様のご遺骨・仏舎利《ぶっしゃり》を納めたお墓であり、供養と礼拝をする大切な場所だったのです。その意味は、私たちが今も受けついでいます。

日本へ仏教が伝わったころ、お寺の三重塔や五重塔にはかならず仏舎利が納められました。五八五年に蘇我馬子《そがのうまこ》が飛鳥《あすか》の大野丘の北に塔を建て、仏舎利を柱頭に蔵《おさ》めた（『日本書紀』敏達《びたつ》天皇十四年）、とあります。三重塔や五重塔はおシャカ様のお墓の卒塔婆《そとうば》（塔）だったからです。鑑真和上《がんじんわじょう》は唐招提寺《とうしょうだいじ》（奈良）に、弘法大師・空海は東寺（京都）に、中国から仏舎利を持ち帰って納めました。

写経と米粒

でも本物の「仏舎利」は貴重で限りがあり、誰でもかんたんに手に入りません。

インドでさえ六四〇年頃には、「法舎利《ほっしゃり》」といって、仏舎利と同じ価値とされる「写《しゃ》経《きょう》」を、仏舎利《ぶっしゃり》の代わりにストゥーパに納めて供養するのを三蔵法師《さんぞうほうし》・玄奘《げんじょう》はインド旅行中に見ています（『大唐西域記《だいとうさいいきき》』第九）。今でもその習慣が残っていて、お墓に写経を納めたりします。中国や日本に伝えられた仏舎利は、大きさも色も「米粒《つぶ》」に似ていたので、お米を大切にする農業国日本では早くから、籾《もみ》を仏舎利の代用としました。

有名なのは室生寺《むろうじ》（奈良）の弥勒堂《みろくどう》で見つかった三万七千三百基もの「籾塔《もみとう》」です。高さ五センチ（一寸五分）ほどの小さな木製の宝篋印塔《ほうきょういんとう》の中に、籾一粒（まれに二粒）がお経（宝篋印ダラニ）に包んで納められていました（『室生寺籾塔の研究』中央公論美術出版）。

今でもご飯のことを、「シャリ」とか「銀シャリ」といいますが、もとは仏舎利から出た言葉です。

『室生寺籾塔の研究』より

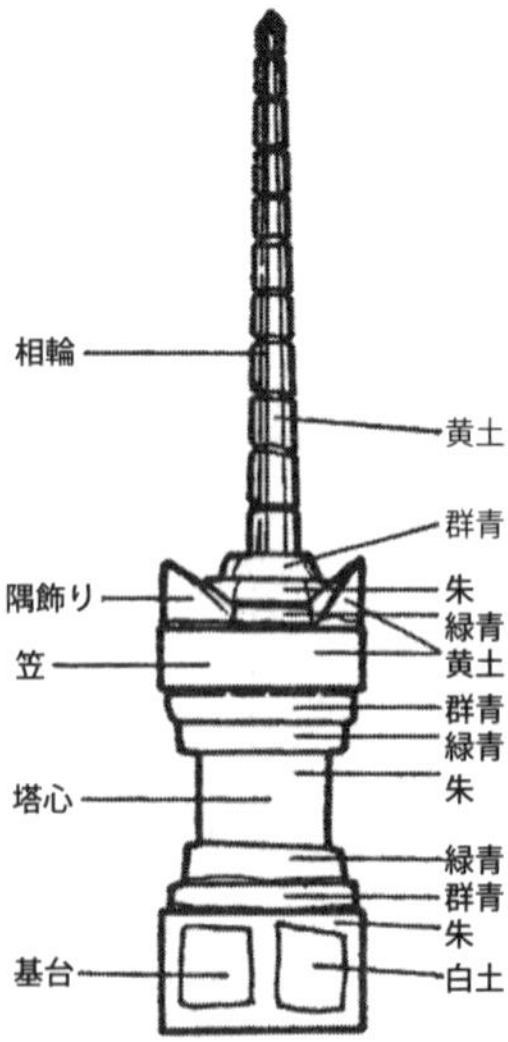

彩色籾塔

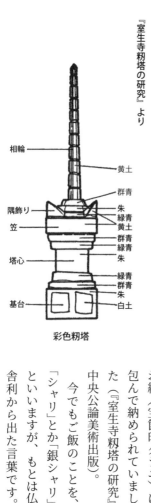

それほど日本人になじみがあったのです。

インドの二つのお墓

インドには「ストゥーパ」のほかに「チャイティヤ」というお墓もあります。漢字で「支提《しだい》」と書きます。卒塔婆《ストゥーパ》と支提《チャイティヤ》の区別は仏舎利が納められているかどうかによります。もちろん仏舎利が納められているのは卒塔婆（塔）です。

中国ではお骨のない先祖の霊は「霊廟《れいびょう》」でおまつりします。霊魂の宿る神主《しんしゅ》（日本の位牌）をまつる建物です（日本の仏壇です。広い意味では神棚・神社も含む）。それで中国では「支提」を「廟《びょう》」と理解していました。

でもインドの支提は「霊廟」ではありません。おシャカ様ゆかりの聖地や石仏のある石窟などに支提を建てて、その遺徳《いとく》を礼拝、供養するためのものでした。

日本ではお骨のないお墓を「供養塔」といいます。もとの意味は「本尊《ほんぞん》を納めて供養し、あわせて亡き人も供養する」もので、「塔」というより「供養碑《ひ》」の方が適切です。平安後期には仏教のお墓＝石塔はすべて「供養塔」となり「仏塔」になるからです。

石塔ってな〜に？

石塔は石の卒塔婆の略です。石でつくったおシャカ様の仏舎利のあるお墓、つまり石の「仏塔」です。しかしこれでは、私たちのお墓になりません。

ところが多武峰《とうのみね》の談山神社《たんざんじんじゃ》（奈良）にある木造十三重塔は、大化改新の立て役者・藤原鎌足のお墓といわれます（『三代実録』天安二年・『多武峰縁起』ほか）。おシャカ様の仏舎利でないお骨を納めた最初の塔です。卒塔婆の意味が、「人々のお骨を納めるお墓」へと変わったのです。しかし鎌足のお墓としては阿武山古墳（大阪・茨木）が有力なので、どうも後代のつくり話のようです。

卒塔婆（石塔）の最古の記録は、天台宗中興の祖・良源（元三《がんざん》大師・九八五年没）の「石の卒塔婆を埋葬地に建てよ」という遺言《ゆいごん》（国宝『遺告《ゆいごう》』）です。比叡山・横川に元三大師御廟があり、そこには石の笠塔婆が建っています。またその弟子で『往生要集《おうじょうようしゅう》』を著《あらわ》した有名な源信（恵心僧都《えしんそうづ》・一〇一七年没）も「卒塔婆一基を建てて一同の墓所と定める」（『二十五三昧起請《さんまいきしょう》』）といっています。平安後期には、天台宗の高僧たちによって「石塔」がお墓として使われ始めました。

石塔のチャンピオン・五輪塔

ところで、なぜおシャカ様の仏舎利を納める卒塔婆（塔）が人々のお墓に変わったのでしょうか？　それは「亡くなった人はみなホトケ様になる」という「成仏《じょうぶつ》」の教えが広まったからです。

真言宗中興の祖・覚鑁《かくばん》は、五輪塔という日本独自の塔をつくって、「五輪塔のお墓は亡き人を成仏させ、極楽往生《ごくらくおうじょう》させる」と説きました。それを高野聖《こうやひじり》と呼ばれる多くの密教の念仏僧たちが全国へ広めたので、当時の石塔はほとんどみな五輪塔になりました。五輪塔はいわば、石塔の初代チャンピオンです（第7章「五輪塔ってどんなお墓」を参照）。

石塔にはほかに、宝篋印塔《ほうきょういんとう》・宝塔・多宝塔・層塔・卵塔などたくさんの種類と形があります。しかしどの石塔も、ホトケ様となって極楽往生したご先祖様たちが安らかに眠る仏教のお墓であることに変わりはありません。だから「仏塔」といわれ、大切に供

養される「供養塔」といわれます。

日本人のお墓文化

中国とインドで生まれた「墓」と「塔」は、先祖のおまつりや供養の意味とともに日本へ伝えられ、二千年もの歳月の間に、日本独自のお墓となりました。

そこにあるのは、亡くなった肉親やご先祖様に対する優しい日本人の心情です。永遠の安らぎのある「あの世」へ往《い》っていただきたい、と願う気持ちが日本の「お墓文化」をつくった、と私は思います。

どうか、この素晴らしいお墓文化をお子さんやお孫さんたちへ、いつまでも大切に伝えてください。

第7章　五輪塔ってどんなお墓

変わった形の五輪塔《ごりんとう》

お墓参りのときや墓石店で、見慣《な》れた四角い三段のお墓（「和墓《わばか》」といいます）とはちがう、変わった形の墓石を見かけた方は多いでしょう。左図のように上から宝珠《ほうじゅ》（団《だん》）・半月・三角・丸・四角の五つの石を組み合わせたお墓で、これが「五輪塔」です。

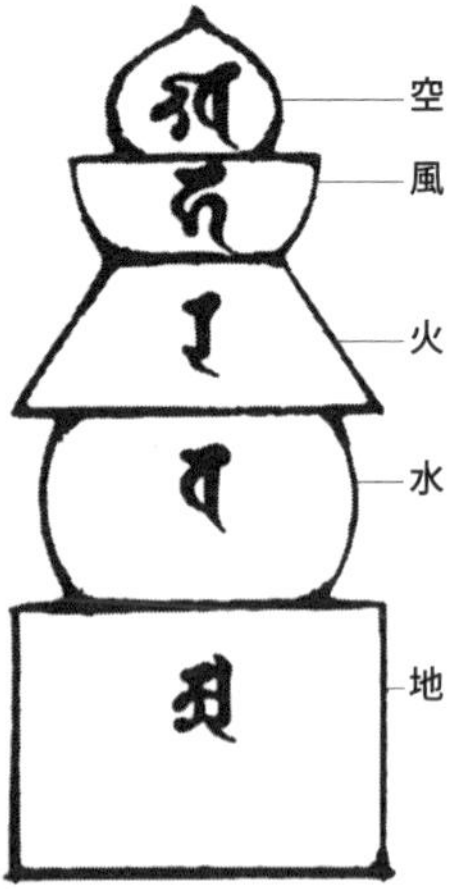

◎お墓の代表だった五輪塔

五輪といったらオリンピックか宮本武蔵《みやもとむさし》の『五輪書《ごりんのしょ》』を連想します。しかし「五輪塔」は五～七百年前（鎌倉～室町時代）には、日本中のお墓の八割以上を占め、三百年以上もの間、一大ブームを巻き起こした「お墓の代表」でした。皇族《こうぞく》、貴族《きぞく》、武士、庶民《しょみん》に至るまで、当時「お墓」といえば五輪塔のことでした。

ちなみに今の三段墓は、江戸時代の中ごろから庶民に普及《ふきゅう》し始めたものです。

◎お墓の一大革命《かくめい》

鎌倉時代から急に五輪塔が普及したのは、平安中期に大流行した「浄土教《じょうどきょう》」や、武士社会ができたことで、宗教界にも庶民への新しい動きがあったからです。そしてお墓にも、はじめて「成仏《じょうぶつ》」とか「往生《おうじょう》」という、亡《な》くなった人をとても大切にする「死者救済《きゅうさい》」の考えが採り入れられて、「一大革命」が起こったのです。

成仏とホトケ様と大往生《だいおうじょう》

人が亡くなることを「成仏した」、「ホトケ様になった」とか「大往生だった」といいますが、この言葉は五輪塔とともに生まれ、普及したといってもよいでしょう。

◎大往生

永六輔《えいろくすけ》さんのベストセラーに『大往生』がありましたが、「往生」とは、「人が亡くなって極楽浄土《ごくらくじょうど》というアミダ様の国へ往《い》き生まれ変わること」なのです。極楽は西方《さいほう》の十万億土にあるので「西方浄土」ともいわれます。「ナムアミダブツ」とお念仏《ねんぶつ》をとなえる人は、すべて極楽浄土へ往生させるのがアミダ様の誓《ちか》い（誓願《せいがん》）です。この教えが全国に広まると、人が亡くなることをいつしか「往生した」とか「大往生」というようになりました。

極楽の反対は地獄《じごく》で、悪い行ないをした人が堕《お》ちる世界です。しかしどんな悪人でも念仏をとなえれば、アミダ様の慈悲《じひ》で極楽へ往《ゆ》ける、のが浄土教です。浄土教は、平安中期に『往生要集《おうじょうようしゅう》』を書いた天台宗の源信《げんしん》（恵心僧都《えしんそうず》）というお坊さんによって最初は貴族の間に広まり、同じころ空也《くうや》上人（市聖《いちのひじり》）が庶民へ「念仏踊り」を広めました。そして鎌倉時代に法然《ほうねん》上人と親鸞《しんらん》聖人、それに一遍《いっぺん》上人が出て、日本中に「念仏」の教えが大流行することになります。

◎成仏・ホトケ様になる

一方「成仏《じょうぶつ》（仏《ほとけ》と成《な》る）」とは、読んで字の如《ごと》く「ホトケ様になる」ことです。この「成仏」の教えは、今から千二百年前（平安時代初期）に真言宗《しんごん》を開いた弘法大師《こうぼうだいし》・空海《くうかい》が広めました。空海は中国から「密教」を日本に伝えましたが、その教えは「即身成仏《そくしん》」、つまり「この身のままで仏となる」というものでした。だからといって早合点《はやがてん》しないでください。真言宗のご本尊「大日如来《だいにちにょらい》」と一体となるには、たいへんな修行《しゅぎょう》が必要なのです。

ところが、人は亡《な》くなると「煩悩《ぼんのう》」も無くなり、仏様と同じ「涅槃《ねはん》に入る」といわれ、死者を「成仏した」というようになります。しかし空海は「死者の成仏」について何もいっておりません。それを説いたのは空海から三百年後に出た、同じ真言宗の覚鑁《かくばん》というお坊さんでした。

高野《こうや》聖《ひじり》と念仏

覚鑁上人は空海ほど一般に知られていませんが、真言宗「中興《ちゅうこう》の祖《そ》」といわれた、たいへんな高僧です。覚鑁は最初、本山の高野山（和歌山県）で「高野聖」という念仏グループにいました。泉鏡花《いずみきょうか》の小説で有名な「高野聖」です。こうしたグループを「別所聖《べっしょひじり》」ともいいます。本山の寺ではない別の所（お堂）を拠点《きょてん》にしていた念仏集団だったからです。平安・鎌倉時代の仏教では、「別所聖」がたいへん活躍します。先ほどの源信（横川《よかわ》別所）や法然・親鸞（ともに黒谷《くろだに》別所）、歌人の西行法師、また重源《ちょうげん》や叡尊《えいぞん》・忍性《にんしょう》といった高僧も別所聖で、五輪塔と縁《えん》の深いことも同じです。

密教（成仏）と浄土教（往生）は同じ

覚鑁《かくばん》はその後、高野山の座主《ざす》（最高位）にまでなり、最後は根来寺《ねごろじ》（和歌山県）で波乱《はらん》の一生を終えます。覚鑁は当時、流行していた浄土教と密教は同じで、「密教はもともと浄土教を含んでいる」と主張しました。これがやがて「五輪塔」を普及させることになるのです。

覚鑁の主張を少し見てみましょう。

◎マンダラの世界

密教には本尊・大日如来を中心に多くの仏様たちを描いた二種類の「マンダラ（曼荼羅）」があります。「胎蔵界《たいぞうかい》マンダラ」と「金剛界《こんごうかい》マンダラ」です。胎蔵界には大日如来の西方に阿弥陀《あみだ》仏が描かれています。覚鑁《かくばん》は「阿弥陀仏の働きはすべて大日如来の働きである」といいます。これは密教の正しい解釈《かいしゃく》です。そして、大日如来の「即身成仏《そくしんじょうぶつ》」と阿弥陀様の「極楽往生《ごくらくおうじょう》」の教えは同じだ、と覚鑁はいうのです。

◎別所聖（高野聖）と勧進《かんじん》

別所聖《べっしょひじり》たちの重要な活動に「勧進」があります。ご存じ歌舞伎十八番『勧進帳』や『五木の子守歌』にある「おどま、かんじん、かんじん」の「かんじん」です。

寺院の新築やこわれた寺の復興《ふっこう》のために募金するのが「勧進」です。勧進のために数千人もの別所聖（高野聖）が全国を巡《めぐ》り、積極的に貴族や武士、庶民のお葬式をし、お墓を建て、また高野山への納骨《のうこつ》を引き受けたり写経をしました。もちろん布教《ふきょう》もしますが、そのときに覚鑁の「成仏＝往生＝五輪塔」の教えを用《もち》いたのです。

◎五輪塔は成仏と往生のシンボル

聖《ひじり》たちは高さ一五センチほどの小さな木製の五輪塔を持ち、全国で「人が亡《な》くなったときに、五輪塔にお骨や遺髪《いはつ》、写経《しゃきょう》を納《おさ》めると、亡き人は必ず成仏し、極楽往生できる」、「五輪塔のお墓を建てると、亡くなった人はすべて成仏し往生できる」と教えたのです。

こうした聖たちの活動で、日本の仏教はお葬式やお墓と深く関わりを持ち、五輪塔が普及しました。

五輪塔の意味

五輪塔は密教でいう「地《ち》・水《すい》・火《か》・風《ふう》・空《くう》」という宇宙を構成《こうせい》する五大要素をあらわしている、といわれます。それは正しいのですが、しかしそれだけでは五輪塔を充分に理解したことにはなりません。五輪塔は死者を「成仏」させ、極楽浄土へ「往生」させるのが本来の意味です。それ以前のお墓は単に「死者の埋葬地《まいそうち》」でしたが、覚鑁《かくばん》は往生と成仏の意味を実証して、初めて亡《な》き人の魂を救い、死者を本当に大切にするお墓の重要性を訴えました。それはお墓の「一大革命」でした。

◎五輪と六大

地・水・火・風・空の「五輪」を「五大」ともいいます。空海はこれに「識《しき》（識大）」を一つ加えて、「六大」という独自の教えを説きました。

前に胎蔵界《たいぞうかい》と金剛界《こんごうかい》の二つのマンダラに触れましたが、どちらも中心に大日如来がおられ、「五輪（＝五大）」は胎蔵界の大日如来を、「識大」は金剛界の大日如来をあらわします。

これは大日如来の二つの働きです。二つがそろうと初めて完全なマンダラと大日如来となります。だから地・水・火・風・空の「五輪」（胎蔵界）だけでは不充分で、どうしても「識大」（金剛界）が必要になります。

智拳印《ちけんいん》ハ金《こん》剛界《ごうかい》ヲ標《あらわ》シ、定印《じょういん》ハ胎蔵《たいぞう》界《かい》ヲ標《あらわ》ス。是《こ》レ両部不二《りょうぶふに》ノ曼荼羅《まんだら》也《なり》

覚鑁《かくばん》『五輪九字明秘密釈《くじみょうひみつしゃく》』より

◎二つの「印《いん》」

二つのマンダラの大日如来はそれぞれ独自の手の結び方をしています。これを

「印《いん》」を結ぶ、といいます。上図の上が金剛界の大日如来の印（智拳印《ちけんいん》）、下が胎蔵界の大日如来の印（定印《じょういん》）です。これで初めて、「五輪塔には二つのマンダラと二つの大日如来が含まれている」という覚鑁《かくばん》の言葉が理解できます。

◎五輪塔は即身成仏の姿

即身成仏《そくしんじょうぶつ》には「身《しん》（手）」「口《く》（言葉）」「意《い》（心）」の三つの修行が必要です。手に印《いん》を結び、口でダラニをとなえ、坐禅《ざぜん》して心で瞑想《めいそう》（三昧《さんまい》＝三昧耶形《さまやぎょう》）をしますが、前ページの図のとおり、「五輪塔」は三つの修行をあらわしている、と同時に、それは亡くなった人がみな成仏・往生した姿なのです。

五輪塔の文字

話は変わりますが、江戸時代以降の五輪塔は、宗派によって正面に彫《ほ》る文字が書き分けられていま す。しかし、日本で五輪塔が造立されるようになった平安末期から鎌倉・室町時代までは、すべて76ページの図のように下から順に「ア・ヴァ・ラ・カ・キャ」という

「梵字《ぼんじ》」（古代インドの文字＝サンスクリット）を書きました。それは下から順に地・水・火・風・空という意味になっています。ところが江戸幕府の檀家《だんか》制度によって、他宗のマネが禁止され、次のように各宗派独自の文字を入れました。

・天台宗（密教）＝「梵字」・「南無阿彌陀佛」
・真言宗（密教）＝「梵字」
・浄土宗・浄土真宗＝「南無阿彌陀佛」
・禅宗（臨済宗・曹洞宗）＝「地水火風空」
・日蓮宗＝「妙法蓮華経」

江戸時代の檀家制度の名残りですから、今日ではあまり気にする必要はありません。

故人を最も大切にするお墓

「五輪塔」を建てると、亡《な》くなった人はみな最高の位と最高の世界へ往《ゆ》けるのですから、宗派に関係なく、今日まで「ありがたい最高のお墓」とされています。故人をホトケ様とし極楽往生させる五輪塔こそは、亡くなった人をもっとも大切にするお墓ですし、日本仏教とお墓の歴史の上で、画期《かっき》的なお墓だったのです。

第8章　卒塔婆ってな～に

卒塔婆《そとうば》はおシャカ様のお墓

『大般涅槃経《だいはつねはんぎょう》』という お経には、おシャカ様が涅槃《ねはん》にお入りになる前、弟子のアーナンダ(阿難《あなん》尊者)に残された遺言があります。

「アーナンダよ。悟りを得たブッダ(修行完成者。以下同じ)は、世界を支配する帝王がもっとも丁重に火葬をするように遺体を処理されるべきです。そして四つ辻にブッダのストゥーパ(卒塔婆)を建てなさい。

誰であろうと、そこに花輪、香料、顔料をささげて礼拝し、また心を浄《きよ》らかにして信ずる人々には、長い間のご利益と幸せが起こるでしょう。

(中略)

アーナンダよ。《これはブッダのストゥーパである》と思うなら、多くの人は心が浄らかになる。心が浄らかになれば、かれらは死後に、善い天の世界(後代の「浄土」)に生まれるでしょう。

アーナンダよ。この道理によって、ブッダには、人々がかれのストゥーパをつくってこ

インド最古の現存ストゥーパである「サンチー第一塔」

れを拝むべきです」（中村元訳『ブッダ最後の旅』岩波文庫）。

「ストゥーパ」は、古代インドのサンスクリット語で、漢字に音写して「卒塔婆《そとうば》」、約して「塔婆《とうば》」、「塔」、「仏塔」ともいいます。おシャカ様のご遺骨＝「仏舎利《ぶっしゃり》」を埋納《まいのう》したお墓です（『望月佛教大辞典』四巻「塔」）。

インド最古の現存ストゥーパは「サンチー第一塔」で、紀元前三世紀頃に、アショーカ王によって造築され、今は世界文化遺産に指定されています。

この遺言にはたいへん大事なことがあります。おシャカ様のストゥーパの礼拝《らいはい》供養には、花輪とお香と顔料と浄らかな心をもって礼拝しなさい、という部分です。「顔料」はインドの風習でお墓をいつもきれいにする塗料ですが、日本では「お水」にあたります。

そして、二千五百年前からの古代インドのお墓参りと今日の日本のお墓参りが、まったく同じ作法であることに驚かされます。

◎お墓参りをすると幸せになる

もう一つ重要なことがあります。おシャカ様のお墓を礼拝供養すると、誰であろうと「長い間のご利益《りやく》と幸せが起こる」ことと、《これはおシャカ様のストゥーパ》と思って礼拝すると、「心が浄まり、死後には、善《よ》い天の世界（浄土）に生まれる」という部分です。

これまで、この部分はあまり注目されていませんが、お墓の本質を知る上で、たいへん重要な内容です。それは、お墓参りをすると、かならず「お墓参りをした人は《幸せ》になる」という内容です。

このおシャカ様の考え（お墓の本質）が、日本のお墓参りにも受け継がれ、今日にも生きているからです。特に日本の場合は、おシャカ様のお墓「ストゥーパ」に限らず、家のお墓でも、「お墓参りをすると、かならず《幸せ》を実現できる」という思想になります。

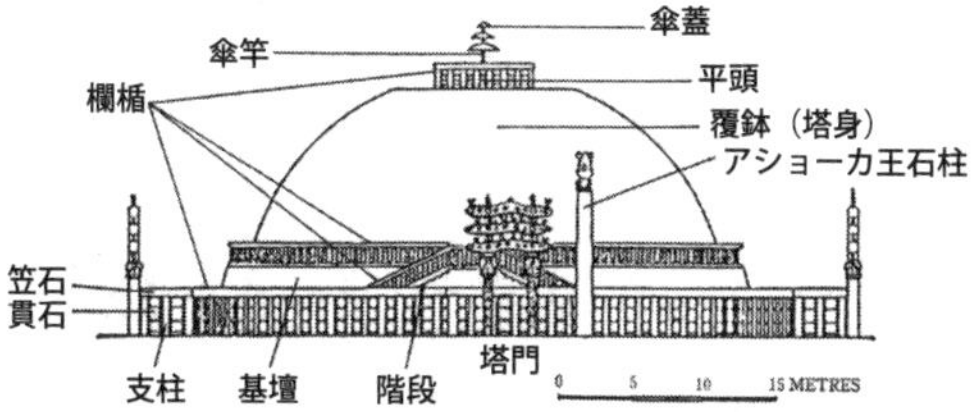

杉本卓州著『インド仏塔の研究』より

◎「右繞《うにょう》」はインドのお墓参りの仕方

インドでは古来より、おシャカ様のお墓をお参りするときは、かならず時計回り＝右回りで、心静かにストゥーパを回ります。これを「右繞《うにょう》」といいます。日本のお寺の仏殿でもこのルールは守られています。

『右繞仏塔功徳経《うにょうぶっとうくどくきょう》』には、在家の人が仏塔（ストゥーパ）を右繞して礼拝供養すると、「仏法を聞くのに妨げとなる八つの障害（八難）を離れ、どこでも正しい知恵を得て失わず、福財を得て、長寿となり、高貴な位に生まれるなどの功徳がある」と記されています（『大正新脩大蔵経』十六巻）。

◎ストゥーパの構成

古代インドの「ストゥーパ」は、上図のように、「基壇」上に鉢を伏せたような覆鉢《ふくはつ》型の「塔身《とうしん》」があります。その上の四角い部分が「平頭《へいとう》（びょうず）」で、ここに「仏舎利」を奉安《ほうあん》します。暑いインドでは王や聖人にかならず絹の傘を差し掛けますが、おシャカ様のご遺骨も三重の傘で覆《おお》われています。これが「傘蓋《さんがい》」で、その傘の柄《え》（柱）を「傘竿《さんかん》」（輪竿《りんかん》・刹《さつ》・刹柱《さっちゅう》・心柱《しんばしら》など）といいます。

塔の平面は円形で、塔の外周には円状の「欄楯《らんじゅん》」という欄干《らんかん》のような石の柵が巡らされています。「欄楯」には東西南北に四つの門があり、その内側には「右繞」用の道があります。また南門を入ると基壇の上へ昇る階段があって、基壇の上にも「右繞」用の道があります。インドでは、ヒンドゥー教も仏教も、古くから尊像・聖域を礼拝するときは、右繞と定まっていました。

大切なストゥーパの意味

「ストゥーパ」の（漢訳の）意味は次のとおりです。

①レンガ・石・土などを高く積み上げた場所（漢訳＝堆土《たいど》・高顕処《こうけんじょ》・大聚《だいじゅ》・聚相《じゅそう》など）

②お墓（漢訳＝廟《びょう》・墳《ふん》・塚《ちょう》・墳陵《ふんりょう》など）

③半球形（漢訳＝頂《ちょう》・頭頂《ずちょう》・覆鉢《ふくはつ》）
④功徳を集めた場所（漢訳＝功徳聚《くどくじゅ》）
⑤供養をする場所（漢訳＝供養処《しょ》）
①②③はお墓の形を示しますが、④⑤には特別重要な意味が込められています。
④の「功徳聚《くどくじゅ》」は明らかに、「おシャカ様のすべての功徳を集めた場所」という意味です。
「功徳」とは、「優れた働き」のことで、「悟りを開く働き」です。

次の⑤「供養処」は、「おシャカ様のストゥーパを礼拝供養する場所」です。

そこで④と⑤の意味を総合すると、「ストゥーパ」は、「おシャカ様の全功徳を集めた場所を礼拝供養する所で、礼拝供養した結果、おシャカ様の遺言どおり、仏教的な数々のご利益や幸せが得られ、死後には浄土に生まれることを実現する場所」という意味になります。


これはたいへん重要で、仏像がまだなかった時代には、「ストゥーパはおシャカ様そのもの」という信仰があり、人々はストゥーパでおシャカ様そのものを感じていたわけです。ちょうど私たちがお寺で「仏像」を拝むのと同じ感覚で、当時からインドの人々は、ストゥーパを礼拝し供養していました。これはそのまま日本のお墓にも当てはまります。

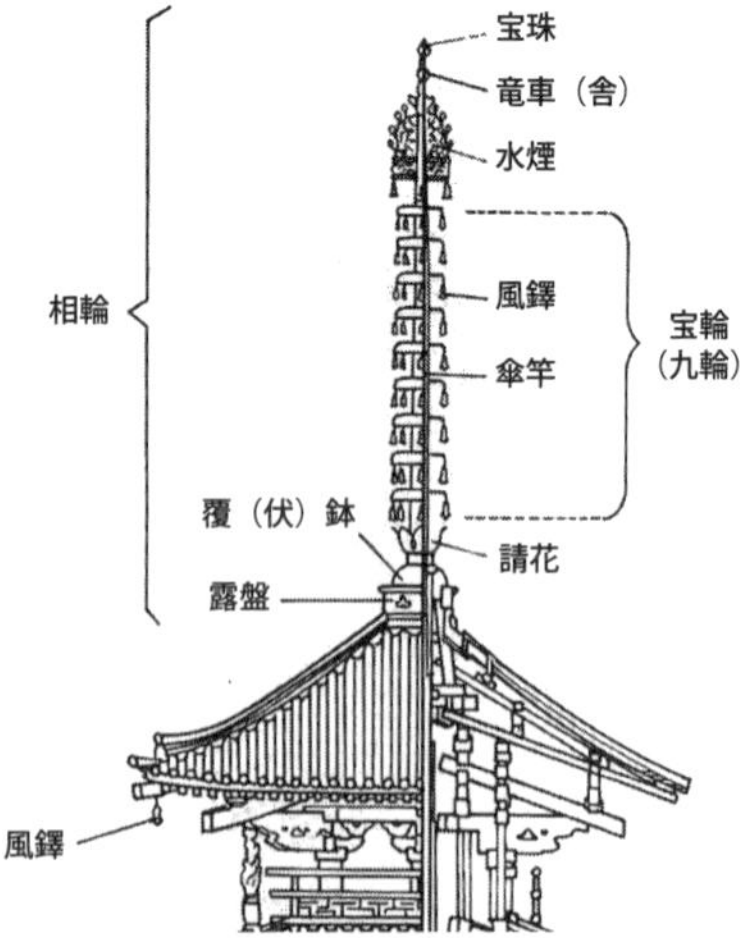

『図解 文化財の見方―歴史散歩の手引』
（山川出版社）より

◎ストゥーパと日本の塔建築

ストゥーパの構造は、日本の木造の塔建築や石塔にもその痕跡があり、その意味を引き継いでいます。左図のように、木造の三重塔や五重塔、多宝塔の屋上部分は、ストゥーパの半円形の塔身、露盤《ろばん》（平頭の変形）、傘竿《さんかん》（心柱）、九層の相輪《そうりん》（傘蓋の変形）、宝珠《ほうじゅ》（宝瓶《ほうびょう》の変形）などでできています。いずれもストゥーパがルーツです。また一重、三重、五重などの屋根はみな四角形ですが、これは中国の高楼《こうろう》建築の影響で、インドの丸い傘が変形したものです。

石のお墓の「石塔」のうち、宝塔、多宝塔、宝篋印塔《ほうきょういん》の傘の上部はこの様式がそのまま採用されていますし、五輪塔や笠塔婆《かさとうば》では、傘の上は相輪を省略して宝珠だけです。しかしこれもストゥーパの変形です。またどの仏塔もみな、如来(仏様)をあらわします。「仏舎利」を納めた塔は「釈迦牟尼仏」、多宝塔は「釈迦牟尼仏と多宝如来」(『法華経』)、五輪塔は「大日如来」(『秘蔵記』)、宝篋印塔は「一切如来の全身舎利」(『宝篋印陀羅尼経』)を意味します。

それは、現在の私たちのお墓・石塔も同じです。お位牌型の三段のお墓も、かつては、かならず梵字《ぼんじ》一字で仏様や菩薩をあらわす「種子《しゅじ》」を最上部の竿石《さおいし》に刻字しました。これは三段墓が種子の仏様そのものをあらわします。今は「家紋」を入れたりしますが…。

◎ストゥーパと日本のお墓

人が亡くなると「ホトケ様になった」、「大往生《だいおうじょう》だったね」などといいますが、人が亡くなった後に「成仏《じょうぶつ》」し「極楽往生」した、という意味が含まれています。

仏教学で厳密に定義するといろいろな解釈がありますが、鎌倉時代に急速に庶民の間に広まった民間仏教では、人々の究極の「救済」が「成仏」と「往生」に集約されていました。人々は、そのことを信仰し、仏教を最後の拠り所とした、と私は思っています。

そしてお葬式のときに、お寺さんによって、亡き人は「成仏」と「往生」をさせていただきます。そうすると庶民感覚では、亡くなった肉親が「ホトケ様になった」のですから、お墓には「ホトケ様のお骨」が埋納されます。その上のお墓にご本尊の「種子」がありますから、何の心配もなく安らかに永眠できます。私たち庶民のお墓とおシャカ様のストゥーパは同じということになります。

それに日本のご先祖様は誰でも「氏神様」となります。柳田國男の『先祖の話』によりますと、氏神様となった先祖の霊は、子孫がねんごろにおまつりする（仏教的には「供養」する）と、ご先祖様はかならず、おまつりをしてくれた子孫を加護して、苦しみや悩み、災厄《さいやく》を取り除くことで、「幸せ」を実現してくれます。

このようにして、日本の固有信仰と仏教の死者救済が見事に融合し、新たな先祖供養、先祖祭祀《さいし》、あるいは死者供養の思想と信仰ができ上がりました。こうした伝統が何百年も続いて、今日のお墓の意味（本質）ができ上がった、と私は確信しています。

塔婆《とうば》供養ってな～に？

さて、日本では、埋葬のときや年忌供養のときに、お墓で「塔婆供養」を行ないます。浄土真宗のように梵字を用いない宗派では、塔婆に「南無阿弥陀仏」と書く場合もありますが、各宗派によって、年忌法要ごとに、塔婆に書く文句に規定があり、とても複雑で、ここではそのすべてを紹介することはできません（藤井正雄編『仏教儀礼辞典』「板塔婆」）。

くわしくは菩提寺《ぼだいじ》のご住職様にお尋ねください。

塔婆の形は、五輪塔（＝仏塔）を板状にしたものです。ですから塔婆供養は、仏塔を建てて、亡き人がたとえ地獄や餓鬼道《がきどう》、畜生道《ちくしょうどう》に堕《お》ちても、塔を建てた功徳（造塔功徳）によって救済できる、という意味になります。また造塔供養のための仏塔を「供養塔」といいます。

◎「塔婆供養」と「造塔功徳」

造塔の「功徳」については、お経に出ています。たとえば『無量寿経』に、塔や仏像を起立することが浄土往生の業《ぎょう》である、とあります。『譬喩経《ひゆきょう》』の「造塔功徳」には、貧しさの苦を受けず、寿命は長延し十方の浄土に生まれるなど、十の功徳がある、とあります。

また、『造塔功徳経』や『造塔延命経』にも、造塔には、長生きをし（延寿）、天界に生まれ、成仏するなどの功徳がある、とあって、「塔婆供養」の背景には、こうした経典の教えを受けていることがわかります。

第9章　蓮華ってな〜に

なぜ墓石に蓮華台があるの？

仏像・仏画の仏様やボサツは、たいてい蓮《はす》の花弁《かべん》の台座にお立ちになったり、座っておられます。この台座は「蓮台」（「は〈ち〉すのうてな」）とか「蓮華座《れんげざ》」、「蓮華台」と呼ばれています。「蓮」を「はちす」というのは、花托《かたく》の部分が「ハチの巣」を逆さまにした形に似ており、穴がいくつもあるからです。

蓮華台のついた墓石をよく見かけますし、お位牌にもあります。仏様やボサツと同じように、なぜお位牌や墓石にも蓮華台をつけるのでしょう？　蓮の花には、どんな意味があるのでしょうか？

ネアンデルタール人の供花《くげ》

供養《くよう》をするときは、お仏壇やお墓、それにお葬式でもかならず花を供《そな》えます。これを「供花《くげ》」といいます。亡《な》くなった人に花を手向《たむ》ける習慣は、いつ・誰が始めたのでしょう？

死者に矢車菊《やぐるまぎく》やアザミなど七種の花を供えた最初の人類は、五〜七万年前のネアンデルタール人（イラン・シャニダール洞窟で発見）でした（養老孟司他著『脳と墓Ⅰ』弘文堂、

佐原真著『考古学千夜一夜』小学館ライブラリー）。

古くから火や花は、世界各国に共通して死者の祭祀《まつり》に用いられてきました。中でも「供花《くげ》」の習慣がもっとも早く、私たちがお墓参りで花を供える習慣も、考えてみると、五万年以上も続いています。

ですから、驚異《きょうい》的なお墓やお葬式（葬墓《そうぼ》）の「文化」ということができます。

古代インドの蓮の花

インド原産の蓮《はす》（英語で「ロータス」）は古くから世界中に分布《ぶんぷ》していました。古代エジプト（「神聖なロータス」）、ギリシャ神話（「ロータス・イーター」＝食蓮人）、中国では仏教以前から、俗塵《ぞくじん》に染《そ》まらない「君子《くんし》の花」とされ、日本の『古事記』や『万葉集』にも出てきますし、日本で最初に花が造形化されたのは六世紀の終わりでした。それは飛鳥寺の蓮華紋《れんげもん》の瓦《かわら》だったそうです（佐原真著・前掲書）。

古代インド（三千年前）では「ハスの女神」像が発掘されています。蓮《はす》は女性の母胎《ぼたい》（胎蔵《たいぞう》）と考えられ、多産・生命《いのち》の創造《そうぞう》をあらわしました。のちに豊穣《ほうじょう》・幸運・繁栄《はんえい》・長寿《ちょうじゅ》・健康の意味が加わります。インド最古の文献『ヴェーダ』に、ハスの女神は、蓮の花の上に立ち、蓮華の飾りをして誕生した、とあります。紀元前五世紀に仏教がこうした風土の中に生まれると、蓮華はおシャカ様の誕生を告げて花を開いた、という伝説ができます（以上、『世界大百科事典』平凡社）。

仏教と蓮華

仏教や仏法をあらわす代表的な花はもちろん蓮・蓮華です。有名な『法華経《ほけきょう》』の正式名は『妙法蓮華経《みょうほうれんげきょう》』で、「法華《ほっけ》」（法の華《はな》）とは「大白蓮華《だいびゃくれんげ》」のことです。奈良・東大寺の大仏様（＝毘盧遮那仏《びるしゃなぶつ》）がまだボサツとして修行をされていたとき「蓮華蔵世界《れんげぞう》」を厳《おごそ》かに飾られ（荘厳《しょうごん》され）た、と『華厳経《けごんきょう》』にありますから、「華厳」の華は「蓮華」です。その様子が大仏様の蓮台《れんだい》（蓮弁《れんべん》）に描かれています。

密教（真言《しんごん》宗・天台《てんだい》宗）では、マンダラ（胎蔵界《たいぞうかい》マンダラ）のまん中に八葉《はちよう》の蓮華（中台八葉院《ちゅうだいはちよういん》）があり、その中心に本尊の大日如来がおられます。ちなみに墓石の蓮華台が八弁《べん》なのはここに由来《ゆらい》しています。また浄土宗・浄土真宗のお経『阿弥陀経《あみだきょう》』や『大《だい》無量寿経《むりょうじゅきょう》』などにも、極楽浄土の蓮池には蓮の花が咲いている、と書いてあります。もちろん禅宗（臨済《りんざい》宗・曹洞《そうとう》宗）の本尊・釈迦牟尼仏《しゃかむにぶつ》の像も蓮華台に座っておられます。

このように、日本のすべての仏教宗派に共通して蓮華台が使われます。それは蓮華が仏教の根本的なシンボルであるからにほかなりません。

極楽往生と蓮華

さてここでクイズです。「極楽往生」といいますが、いったい、どのようにして亡《な》くなった人は極楽浄土に生まれるのでしょうか？

その答えは『大無量寿経』と『観無量寿《かんむりょうじゅ》

経《きょう》』というお経にあります。

お経には、多くの人々が七宝《しっぽう》の蓮華の中で自然に不思議な誕生（＝化生《けしょう》）をし、（蓮台の上に）両足を組んで座っている、とか、命が終わると無量寿国《むりょうじゅこく》（＝浄土）に生まれることができ、七宝の蓮華の中で化生する、とあります（『大無量寿経』＝『浄土三部経』上巻二〇五ページ・岩波文庫）。また、西方《さいほう》の極楽に生まれ、蓮華の中に両足を組んで坐り（＝結跏趺坐《けっかふざ》）…、とあります（『観無量寿経』＝『同』下巻六一ページ）。

「極楽往生」とは、浄土の蓮池に咲く「蓮華」の中で、一瞬のうちに不思議な誕生をすることとです。こうした誕生を「蓮華化生《れんげけしょう》」といいます。ここに仏教以前の古代インドの「ハスは母胎をあらわす」という考えが受け継がれています。

蓮華は成仏と往生のあかし

ところで、亡《な》くなっていない仏様が蓮華の台座にいるのはなぜでしょう？

それは蓮華に「悟《さと》りの世界」という意味があるからです。蓮華はよごれた泥の中から清らかな花を咲かせます。泥は「迷いの世界（この世）」、蓮華はよごれた泥に染《そ》まらない「悟りの世界」のたとえです。仏様は悟りを開いて仏となった（＝成仏《じょうぶつ》した）尊い方です。その「あかし」として蓮台に乗っておられるのです。

日本では平安中期に浄土の教えが広まりますが、臨終のとき「ナムアミダブツ」とお念仏をとなえた人はすべて浄土に生まれる、という「極楽往生」の教えでした。それは「成仏」と同じ意味なので、亡くなった人も蓮華台に座ることができるのです。お念仏をとなえると死者は成仏し極楽往生できる、という教えは、日本では画期的《かっきてき》なことだったので、わかりやすさから一気に全国に広まりました。

最初に述べたお位牌やお墓に「蓮華台」をつけるのは、実は亡き人が成仏し極楽往生した「あかし」だったのです。

観音様が蓮台をもってお迎え

「蓮華の中で化生《けしょう》する」といいましたが、では臨終《りんじゅう》のとき、誰が蓮の花を運んでくれるのでしょうか？　それを描いたのが『阿弥陀聖衆来迎図《あみだしょうじゅらいごうず》』です。

アミダ様が二十五人のボサツたち（聖衆）をつれて西方浄土《さいほうじょうど》から臨終の人をお迎えに

来る（来迎《らいごう》する）様子が描かれています。この中にはもちろん地蔵ボサツもおられます。

上図を見ると、観音ボサツは両手で「蓮台」をささげ持っておられます。これが浄土へ往生《おうじょう》するための「蓮華」です。こうした図を美術では「来迎形式」といいますが、ほかにもアミダ様・観音・勢至ボサツの「阿弥陀三尊像《あみださんぞんぞう》（図）」や、「山越《やまごえ》阿弥陀図」などがあります。

有名なのは宇治平等院・鳳凰堂《ほうおうどう》の「阿弥陀浄土」（国宝・京都）、大原・三千院の「阿弥陀三尊像」（重文・京都）、知恩院の「阿弥陀二十五菩薩来迎図」（国宝『法然上人絵伝』・京都）、禅林寺の「山越阿弥陀図」（国宝・京都）などがあります。特に「阿弥陀二十五菩薩来迎図」の勢至・観音ボサツは、日本式に「正座」をされています。

お寺や美術館で「阿弥陀三尊像」や「阿弥陀二十五菩薩来迎図」をご覧になることがあったら、こんな点にも注意して、平安時代以来の日本人が、亡き人へやさしい願いを込めたことも、ぜひ想い出してください。

お墓と蓮華台

「蓮台《はちすのうてな》」は、亡《な》き人・ご先祖様たちがホトケ様となり（成仏《じょうぶつ》し）、西方極楽浄土《さいほうごくらくじょうど》へ往生《おうじょう》した「あかし」として、お墓やお位牌につけられていることはご理解いただけた、と思います。私にはこのことが日本に花ひらいた、民衆の信仰のすばらしい大白蓮華《だいびゃくれんげ》のように思えるのです。

そこに流れているのは、亡き人やご先祖様を大切に思い、極楽で安らかに暮らしてほしい、と願う、日本人のやさしい「先祖供養」の心です。どうかこの「日本人の心」を大切にし、いつまでも子や孫の代へ伝えてほしいのです。

私はお墓がとても好きな変な人間ですが、蓮華台のあるお墓の前では「幸せですね」と話しかけます。もし、ご予算が許せば、ぜひ墓石に「蓮華台」を奮発《ふんぱつ》してつけてみてください。きっとお墓参りが楽しくなり、とても豊かな気分になるはずです。

第10章　お彼岸ってな～に

なぜお彼岸《ひがん》にお墓参りをするの？

ほとんどの家では、故人《こじん》のご命日《めいにち》・お盆・お彼岸には「お墓参り」をします。また月命日（＝月忌《がっき》）にするところや、九州のようにお墓にお花を絶やさない地域もあります。お墓参りに熱心な鹿児島県は、生花の売上が全国一で、その影響でしょうか、青少年の非行が最も少ない県だそうです。

なぜ、お彼岸にはお墓参りをするのでしょう？

インド・ミャンマー・スリランカなどの仏教国では、お彼岸にお墓参りをしません。日本だけの習慣です。何か特別な理由《わけ》がありそうです。

お彼岸の始まりは？

「春分の日」と「秋分の日」を中心に前後三日間を加えた一週間がお彼岸で、中日《ちゅうにち》は祝日です。仏教行事として「彼岸会《ひがんえ》」とか「お彼岸」といわれますが、もともと春分・秋分の日は、仏教とは関係ありませんでした。

平安京を開いた桓武《かんむ》天皇が延暦《えんりゃく》二十五（八〇六）年の旧暦二月十七日（春分の日）に、

弟の早良親王《さわらしんのう》の霊をとむらうため法要を行なった（『日本後紀《こうき》』）のが最初の記録です。また「彼岸」という言葉は、平安時代中ごろの『宇津保《うつぼ》物語』や『蜻蛉日記《かげろう》』に、初めて使われます。

◎聖徳太子《しょうとくたいし》とお彼岸

ところが『今昔《こんじゃく》物語』巻第十一にある「聖徳太子、天王寺（大阪・四天王寺のこと）を建てたる語《ものがたり》」に、「天王寺の西門に、聖徳太子はみずから〈釈迦如来転法輪所《しゃかにょらいてんぽうりんしょ》、当極楽土東門中心《とうごくらくどとうもんちゅうしん》〉（＝ここはおシャカ様が説法《せっぽう》をされたところ、極楽浄土《じょうど》の東門の中心にあたる）とお書きになりました。そこで天皇、公家《くげ》、お坊さん、民衆にいたるまで、さまざまな人々が西門でアミダ様の念仏をとなえ、今日まで絶《た》えることがなく、お参りしない人はいない」とあります。

こうした言い伝えがあるので、聖徳太子のころには「お彼岸」があった、というのです。桓武天皇もすでに四天王寺へ八〇一年の春彼岸にご臨幸《りんこう》されました。四天王寺は、お彼岸の中日（春分・秋分の日）に、真西《まにし》に夕日が西門の石の鳥居《とりい》の中に沈みます。この鳥居が

「極楽の東門」です。ここに入る夕日を拝み、アミダ様の西方《さいほう》浄土（極楽浄土）へ極楽《ごくらく》往生《おうじょう》を願う、という信仰が生まれました。後白河法皇《ごしらかわほうおう》など多くの法皇や天皇、藤原一門の貴族や歌人たち、それに天台宗の開祖《かいそ》・最澄《さいちょう》、浄土宗の開祖・法然《ほうねん》、鎌倉幕府を開いた源頼朝《よりとも》などの武士、また一般民衆もおおぜいお参りした記録が残っています。

それは、一千年後の現代にも生き続けています。春と秋のお彼岸は多くの人が夕日を拝みに四天王寺へお参りします。四天王寺一帯に今も「夕陽丘《ゆうひがおか》」という地名も残っています。

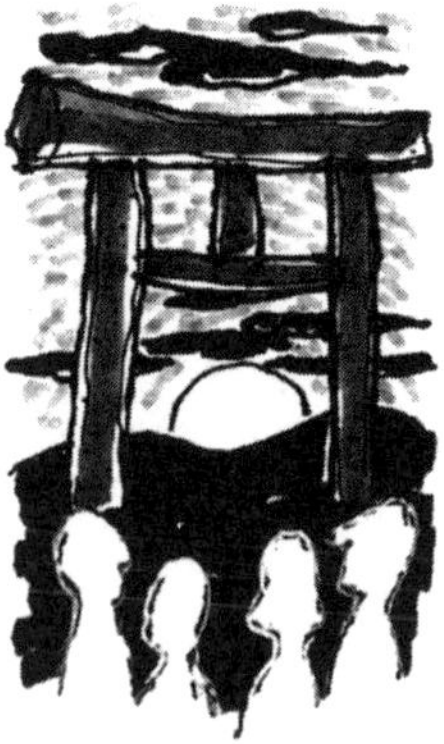

お彼岸の由来

浄土宗や真宗で大切な『観無量寿経《かんむりょうじゅきょう》』というお経には、極楽浄土を想い浮かべる十三の方法が説かれています。その第一は、正座して日没を観《み》る「日想観《にっそうかん》」です。

日本に大きな影響を与えた中国浄土教の開祖「善導《ぜんどう》」はこれについて、「その日は太陽が、真東に出て真西に沈み、アミダ仏の国は日没のところ、真西の十万億刹《さつ》の彼方にある」（『観経疏《かんぎょうしょ》』第三）と書いています。どうもこれが日本の「お彼岸」のルーツらしいのです。

平安時代中ごろから、お彼岸は、「亡き人をとむらい、極楽浄土を願う日」として、さまざまな階層にまで広まったので、お彼岸にお墓参りをする習慣が生まれたのは、ごく自然のこと、といえます。

なぜ「彼岸」というの？

春分・秋分のころを、なぜ「彼岸」というのでしょう？「彼岸」とは、「彼方《かなた》にある岸」のことで、向こう岸です。大きな海や川を挟んだこちら側は、「此岸《しがん》」です。仏教では、二つの岸を、「悟《さと》り」と「迷い」の世界、あるいは「極楽浄土」と「娑婆《しゃば》」にたとえます。

私たちには、「あの世」と「この世」、といいかえた方がピッタリします。しかし大乗仏教では、苦しみや迷いの世界の此岸から、迷いのない悟りの彼岸へ到達《とうたつ》することを「到彼《とうひ》岸《がん》」といって、修行を意味します。

この修行を、古代インドのサンスクリット語では「パーラミター」といいます。漢字では「波羅蜜多《はらみった》」あるいは「波羅蜜《はらみつ》」と書きます。よく知られているお経に『般若心経《はんにゃしんぎょう》』（『心経』ともいう）があります。これは『摩訶般若波羅蜜多心経《まかはんにゃはらみったしんぎょう》』の略です。また、京都には空也上人《くうやしょうにん》が開いた有名な「六波羅蜜寺《ろくはらみつじ》」があります。昔、「六波羅探題《たんだい》」があったことでも知られています。これらに「波羅蜜多」という言葉が使われています。

◎**六波羅蜜《ろくはらみつ》と宮沢賢治の『雨ニモマケズ』**

私たちには、なじみがありませんが、「六波羅蜜」（六度《ろくど》ともいう）は、ボサツが修行する六つの大切な実践徳目《じっせんとくもく》です。

それを簡単に紹介します。

1　布施《ふせ》＝財物・教え・安心を与えること
2　持戒《じかい》＝戒律《かいりつ》を守ること
3　忍辱《にんにく》＝苦難を堪《た》え忍ぶこと
4　精進《しょうじん》＝仏道を実践し、はげむこと

5　禅定《ぜんじょう》＝心や精神を統一すること
6　智恵《ちえ》＝真理を見きわめ、悟りを完成させる智恵

中でも重要なのは「智恵」です。お経にありました「般若《はんにゃ》」とは、この「智恵」のことなのです。私たちの生活に当てはめると、「人に親切で、人としての生き方を守り、自分のやるべきことを努《つと》め、つらさに堪《た》え、しかも感情的にならず、いつも物事の本質を見きわめる」ことでしょうか。

私には、宮沢賢治の『雨ニモマケズ』という詩が、この六波羅蜜《ろくはらみつ》の内容をとてもよくあらわしているように思われます。

入り団子《だんご》・中日牡丹餅《ボタもち》・明《あ》け団子

お彼岸は「入り」・「中日」・「明け」の三つにわけます。お供《そな》えものも、「入り団子、中日牡丹《ボタ》餅、明け団子」にします。「入り団子」は山のように盛りつけ、「明け団子」はバラ積《づ》みにします。富

山や大分では、春は小さな花のつぼみ状の「牡丹餅《ボタ》」、秋は開花した平らな「おはぎ餅」にします（中村康隆「彼岸会と花祭り」＝『講座　日本の民俗宗教２』所収・弘文堂）。

季節感のある、とてもよい言葉ですね。

◎ご先祖様の送り迎え

お彼岸にはお盆とよく似た習慣があります。たとえば、新潟県魚沼《うおぬま》では、「入り」前日の夕方に子供たちが河原にヂサバサ（爺《ぢ》さ婆《ば》さ）という二組のワラの塔を燃《も》やして、「ヂサもバサも、この明かりについて、きなれ、きなれ」と呼びながらご先祖様をお迎えし、明けには、「この明かりについて、いぎなれ、いぎなれ」とお送りするそうです（中村康隆「彼岸会と花祭り」）。

◎霊山《れいざん》・霊場《れいじょう》参り

また各地には、お彼岸（特に中日）に、故人の霊が集まるという「霊山」や「霊場」へお参りする習慣もあります。伊豆の日金山、奈良の二上山、香川の弥谷《いやだに》、高知の虚空蔵《こくうぞう》山、九州の嶽《だけ》参り、阿蘇《あそ》山麓《さんろく》の彼岸籠《こ》もりなどです。また、大阪の四天王寺や一心寺などの霊場寺院へもお参りをします。そのほかアミダ様・観音《かんのん》様・お地蔵《じぞう》様の霊場をめぐるところもあります（中村康隆・同書）。

暑さ寒さも彼岸まで

古代日本に中国から伝わった暦は陰暦《いんれき》（月を中心）でしたが、農業国の日本では、太陽の動きで陰暦を修正《しゅうせい》したやはり中国の「二十四節気《にじゅうしせっき》」がとても重宝《ちょうほう》でした。それは、一年の各月を正節と中気に分けたものです。冬至・夏至・春分・秋分・立春・立夏・立秋・立冬・大寒などが、二十四節気です。でも「彼岸」がありません。

彼岸は「雑節《ざっせつ》」といって、二十四節気をおぎなうために日本でもうけた暦日の一つです。土用《どよう》・節分・お盆・節句・七夕などが雑節です。

よく「暑さ寒さも彼岸まで」といいます。春分・秋分の日はちょうど季節の変わり目にあたり、農業では欠かせない大切な目安《めやす》となる日です。そんな大切なときだからこそ日本人は、昔からご先祖様や亡き人のお墓参りをしたのです。

◎お天道《てんとう》様と念仏

長塚節《たかし》の有名な小説『土《つち》』（岩波文庫）の二十二章には、茨城の天道《てんどう》念仏について、「旧暦の二月の半ばになると…念仏の集まりがあるのである。彼らはそれが日輪に対する報《ほう》恩《おん》を意味しているのでお天念仏《てんねんぶつ》というている…。なまって『おで念仏』と呼ばれた」と書いています。太陽は、農業に欠かせないばかりか、アミダ様の信仰としても大切な存在だったのです。

◎自然とご先祖様に感謝する・お彼岸のお墓参り

『国民の祝日に関する法律』には、春分の日を「自然をたたえ、生物をいつくしむ日」、秋分の日は「祖先をうやまい、なくなった人々をしのぶ日」とあります。自然や季節感を忘れがちな現代人にとって、「お彼岸」は、太陽（お天道《てんとう》様）やご先祖様を思い起こす、たいへんよい機会《きかい》かも知れません。一家そろってお墓参りしながら、自然の恵みとご先祖様のお陰で今の自分と家族があることを、心から感謝する日が、日本のお彼岸ではないでしょうか。

第11章　お盆ってな〜に

お盆とお正月

お盆とお正月には、父や母、祖父母たちと過ごし、近所の子らと遊んだ懐かしい思い出が、沁《し》み透《とお》るように残っていて、あたたかな気分になります。それはきっと私たちが、お盆やお正月に、ご先祖様や亡き人たちと、心を通わせ合うからなのでしょう。

お正月は新年を祝う日、お盆はご先祖様がわが家に帰ってくる日、と思いがちですが、柳田國男著『新訂　先祖の話』（石文社）によりますと、お正月もお盆も、「ご先祖様の霊がわが家に帰る日」だったそうです。そういえば、お正月にお墓参りをする習慣は今も各地に残っています。

「こなかりさん」とお墓参り

柳田先生の『先祖の話』や『日本年中行事辞典』（小学館）には「このあかり」の話があります。これはお盆の「迎え火」のことで、お墓の前で火をたき、提灯《ちょうちん》へ火（＝精霊《しょうりょう》）を移して家に持って帰ります。そのときとなえる言葉が各地にあります。

「盆さん、盆さん、このあかりで、ございやあし」（島根）

「仏さん、こなかりに、ござっしゃい」（島根）
「ぢいさん、ばあさん、このあかりで、おでやれおでやれ（ごんざれ、ごんざれ）」（信州）
「おんぢぃ、おんばぁ、これをあかりに、お茶飲みに、おいでなして下され」（上総）
「こながり、こながり、爺《ぢ》っちゃも、婆《ば》っちゃも、皆な来い来い」（秋田）
「しょうれいだな、しょうれいだな、このあかりで、ござらばえ」（山形）
などなどです。
そして七月または八月の十六日には「いなっしゃい」とか「行《い》っとれ、行っとれ」といって精霊を送ります。

よい言葉ではありませんか。お墓までご先祖様を出迎え、「提灯《ちょうちん》の火」の中に精霊《しょうりょう》を入れて、わが家に持ち帰ったのです。ご先祖様はわが家で、子や孫たちと楽しい日々を過ごします。
日本の先祖崇拝《すうはい》の美しさに魅《み》せられたポルトガル人のモラエスは八十年以上も前に、「死んで家

庭の中にその場を占《し》め続け、妻あるいは夫の、子供たちの、孫たちの、曾孫《ひまご》たちの、玄孫《やしゃご》たちの、未来のすべての世代の愛情を受け続けることは、実をいえば、死ぬことではない。生きること、永遠に生きることなのだ！」といっています（W・de・S・Moraes. 岡村多希子訳『徳島の盆踊り』講談社学術文庫）。

お盆のルーツと『孟蘭盆経《うらぼんきょう》』

お盆のルーツは『仏説盂蘭盆経《ぶっせつうらぼんきょう》』です。最初にお盆（＝盂蘭盆会《うらぼんえ》）を行なったのは、今から千五百年ほど前（五三八年）で、中国の梁《りょう》の武帝《ぶてい》でした。

日本では推古《すいこ》天皇のとき（六〇六年）、「是年《ことし》より初めて寺毎《ごと》に、四月の八日、七月の十五日に設斎《おがみ》す」（『日本書紀』）とあって、毎年各寺ではおシャカ様の誕生を祝う「花祭り」（＝灌仏会《かんぶつえ》）と「お盆」が始まりました。このお経には、中国の先祖まつりや「孝行《こうこう》」の教え（儒教《じゅきょう》）が強く入っています。

また「孟蘭盆《うらぼん》」という言葉は、サンスクリット語（古代インド語）の「ウランバナ」で、中国では「倒懸《とうけん》（＝逆さづりにされた苦しみ）」と訳されてきました。しかし最近になって、古代イラン地方の、先祖の霊魂《れいこん》をわが家に招《まね》いてまつる「ウルバン」がその語源と判りました（岩本裕著『目連伝説と盂蘭盆』。および、同著『日常佛教語』中公新書）。それでこのお経は、イラン地方の先祖供養をもとにして、四世紀頃に中国でつくられた、といわれています。

『盂蘭盆経《うらぼんきょう》』のはなし

まず、お経の要点をかいつまんで紹介します。インドでは「夏安居《げあんご》」といって雨期の三ヵ月は室内で修行をします。最終日の七月十五日（中国の「中元」）には、十方の立派なお坊さんたちへ、百味の飲食《おんじき》や盆器、香油《こうゆ》・燭台《しょくだい》、寝具などを整えて供養します。その後おシャカ様のお墓に供《そな》えた食べ物を、お坊さんと心を一つにして会食をすると、戒律《かいりつ》を守り修行をしたお坊さんの功徳《くどく》を、過去七世の先祖に回向《えこう》（徳を回すことが）できるので、あの世で苦しむ亡《な》き父母を救うことができ、その上、生きている父母や親族も大きな楽しみを受ける、とあります。

◎目連尊者《もくれんそんじゃ》と餓鬼道《がきどう》に堕《お》ちた母を救う話

前後しますが、お経の大筋《おおすじ》はこうです。

おシャカ様の十大弟子の一人・目連尊者は修行によって、あの世を見通す超能力（神通力）を得《え》ました。そこであの世の母をさがすと、「餓鬼道」で苦しんでいるではありませんか。目連は母を救いたい一心で、おシャカ様に相談すると、おシャカ様は「夏安居《げあんご》の最終日に多くの高僧に供養すれば、その功徳で母を救うことができる」と教えました。目連はそのとおり実行して、永い餓鬼道の苦しみから母を救い出せた、という話です。

この内容は、日本のお盆とずいぶんちがいます。そうなるには、長い年月がかかります。特に中国の道教や儒教《じゅきょう》によって、人々の暮らしに先祖供養の意味を持つようになりました。そのことを少し見ましょう。

中元とお盆

旧暦の七月十五日はお盆ですが、その日はまた道教の「中元」にあたります。道教には、上元（一月十五日）・中元・下元（十月十五日）の「三元」があります。四世紀ころには、天官（福をもたらす神）・地官（罪を赦《ゆる》す神）・水官（厄《やく》をはらう神）の「三官」の誕生日を、それぞれ「三元」の日にあてておまつりしました。七月十五日の中元は、道教の「地官」の誕生祭です。

同じころ仏教の『盂蘭盆経《うらぼんきょう》』が訳され、梁《りょう》の武帝《ぶてい》が中国で初めてお盆の法要を行ないましたが、そのころ書かれた『荊楚歳時記《けいそさいじき》』（『東洋文庫・324』平凡社）には、「七月十五日はお坊さんも尼さんも、道教のお坊さんも、一般の人々も（僧尼道俗《そうにどうぞく》）、ことごとくお盆を営んで、供物を（仏教と道教の）寺院へささげ、花を飾っておまつりした」とあります。

四世紀ころ、中国では、七月十五日は、仏教の「お盆」と道教の「中元」が一つになり、先祖を供養する日、亡《な》き人の魂《たましい》をまつる日となって、日本へ伝わりました。

また中国では、中元の供物を親戚や知人に贈る習慣があり、それが日本へ伝わると、お世話になった方々へ贈る「お中元」の習慣として、今日まで残っています。

過去七世と現在の父母を供養

お盆の供養は、「生きている父母や親族に楽しみを与え、過去七代にさかのぼる（過去七世の）ご先祖様を救う」とお経にありました。ここには儒教《じゅきょう》の影響もあります。『論語《ろんご》』にも「ご先祖様の霊にお供《そな》えをして祀《まつ》り、孝《こう》をつくす」（「孝《こう》を鬼神《きじん》に致《いた》す」泰伯《たいはく》篇）とあるように、古代の「孝《こう》」とは「ご先祖様の魂をまつること」でした。

のちに「生きている父母に真心を尽くす」意味が加わります。このお経ができた四世紀ころは、新しい「孝」の意味になっていました。また古代中国では、「天子は（過去七世の先祖の）七廟《びょう》をまつり、諸侯《しょこう》は五廟《びょう》、大夫《たいふ》は三廟《びょう》を、士《し》は一廟《びょう》を、庶民《しょみん》は家の中でまつる」と定められていました（『礼記《らいき》』王制篇）。

◎生盆《いきぼん》（＝生見玉《いきみたま》）と鯖《さば》（＝生飯《さば》）

柳田先生の『親の膳《ぜん》』には、両親が健在なうちのお盆には、親に魚（＝鯖《さば》）を食べさせる風習が多くの地方にある。これを「生盆《いきぼん》」とか「生見玉《いきみたま》」という、とあります。このお経にも、供《そな》えた食物をみんなでいただいて、生きている父母や親族を楽にするとありますし、ホトケ様に供えるご飯を仏教では「生飯《さば》」といいますが、それがいつしか「鯖《さば》」に変わったようです。

釜蓋朔日《かまぶたついたち》、盆路作《ぼんみちづく》り、迎え火、精霊棚《しょうりょうだな》、盆踊り、精霊流し、送り火…

お盆は地方によって、実にさまざまな習慣や行事があります。『日本年中行事辞典』（角川書店・東京堂）などを参考にして、その一部をご紹介します。

・釜蓋朔日《かまぶたついたち》（旧七月一日）

地獄の釜の蓋《ふた》が開く日で、亡霊《ぼうれい》がわが家へ帰る準備をはじめます。亡霊は赤トンボになって帰ってくるともいわれます。岩手・長野・千葉では高灯籠《たかとうろう》を立てて「盆の入り」とします（灯籠《とうろう》立て）。

・盆路《ぼんみち》作り（旧七月七日、一日も）

精霊の通り路の、草を刈《か》って掃除《そうじ》をします。仙台の「墓払《はかはらい》」は七日に墓掃除をし、近畿は「七日盆《なぬかぼん》」で盆が始まります。「盆花迎《ぼんばなむか》え」は七日に野山から盆の花を切ってきて、十三日に供えます。

・迎え火（旧七月十三日、一日や七日も）

精霊を迎えるため、各家の門口で苧殻《おがら》の迎え火をたきます。また、墓前で迎え火をたく所も多くあります（１２０ページ参照）。

・精霊棚《しょうりょうだな》（旧七月十三日、一日や七日も）

十三日は位牌《いはい》や供物《そなえもの》をする精霊棚（盆棚・魂棚《たまだな》・先祖棚）を、室内や屋外（庭）に作ります。仏壇を飾る地方、仏壇前に棚を設ける地方もあります。棚に真菰《まこも》の筵《むしろ》をしき、キュウリやナスの牛や馬を飾ります。新盆の家は縁側に「新棚《あらだな》」を作ります。庭に無縁仏《むえんぼとけ》の霊をまつる「施餓鬼棚《せがきだな》」を作る所もあります。

・盆踊り（旧七月十三～十五日）

古くから日本では精霊をにぎやかに迎えるため「盆踊り」をしました。「念仏踊《ねんぶつおど》り」がルーツともいわれます。日本には各地でさまざまな盆踊りがあります。

・精霊流し、送り火（旧七月十六日）

精霊を送るため、門で送り火をたきます。有名なのは弘法大師《こうぼうだいし》が始めたという京都の「大文字送り火」です（『都名勝図会』）。盆の供物とともにホトケ様を送る「精霊流し」や「灯籠《とうろう》流し」は全国で広く行なわれます。供物とともに家内の疫病《やくびょう》をすべて一緒《いっしょ》に流してくれる、という意味もあるそうです。

第12章　生前墓ってどんなお墓

生前にお墓を建てると縁起《えんぎ》がよいか、縁起が悪いか？

お墓にまつわる迷信・俗信・言い伝え（伝承《でんしょう》）には、驚くほどさまざまなことがあります。手元《てもと》に『故事・俗信　ことわざ大辞典』（小学館）があれば、「墓」や「死」という項目を索引《さくいん》で調べてみてください。たくさんの用例が載《の》っています。

「生前墓」という言葉を耳にしますが、これは「生前にあらかじめ建てておくお墓」のことです。

ところで、あなたは生きているうちにお墓を建てたり、お仏壇を購入するのは「縁起《えんぎ》が悪い」と思われますか？　それとも「縁起がよい」と思われますか？

では、生前に建てるお墓に、日本人は昔からどんな考えを持っていたのか、その正しい意味をみることにしましょう。

聖徳太子《しょうとくたいし》も昭和天皇も寿陵《じゅりょう》だった

有名な吉田兼好《けんこう》の『徒然草《つれづれぐさ》』第六段に、聖徳太子が生前にお墓（磯長陵《しながりょう》・大阪府太子町）を建てた逸話《いつわ》があります。また『日本書紀』には、日本最大（全長五二五メートル）の前

方後円墳（大阪府・堺市）をつくった仁徳《にんとく》天皇が「河内石津原《かわちいしつのはら》に幸《ゆ》かれて陵地《みささぎのところ》を定め、御陵《みささぎ》（天皇のお墓）の築造を始めた」という記録もあります。千五百年以上も昔から、日本には生前に皇族のお墓をつくる「寿陵《じゅりょう》」の風習があったのです。

昭和六十四年一月に昭和天皇が崩御《おなく》なりになり、二月二十四日の大喪《たいそう》の礼《れい》（天皇のご葬儀）の後、その日の夕方には「武蔵野陵《むさしのりょう》」（東京・八王子市）で埋葬《まいそう》が行なわれました。新聞・テレビでは大きく報道されなかったのですが、ご生前に御陵がつくられていたから可能だったのです。つまり古代から今日まで、「寿陵」の習慣は生きていたのです。

もし、本当に「縁起が悪い」のなら、昭和天皇の山稜《おはか》を生前につくったりするはずはありません。

還暦《かんれき》と赤いちゃんちゃんこ

六十歳になると、生まれた歳《とし》の干支《えと》が再びめぐってきます。十二支《し》（子《ね》・丑《うし》・寅《とら》など）と十干《かん》（甲《きのえ》・乙《きのと》・丙《ひのえ》など）の組み合わせでそうなるのです。これが「還暦《かんれき》」で、三千年以上も前から中国で使われている暦の数え方です。

還暦には、「長寿《ちょうじゅ》のお祝い」のほかに「赤子《あかご》にもどる＝生まれ変わる」意味があります。それで還暦には、昔から赤い「ちゃんちゃんこ」を着ます。

平均寿命が八十歳以上の現代では、六十歳はまだまだ現役です。恥ずかしくて、赤い「ちゃんちゃんこ」を着る人もまれなようです。

◎「生まれ変わる」すばらしい智恵

還暦の「赤ちゃんに還《かえ》る＝生まれ変わる」とは、生きているうちに、還暦を節目《ふしめ》に、一度死んで、これまでの人生をきれいに清算《せいさん》し再出発することで、いわば今後の人生をよりよく過ごすための「すばらしい智恵」なのです。

「生前墓」も同じで、生前にお墓を建てて「一度死に、あらたに生まれ変わる」ことが本来の意味です。

生まれ清《きよ》まり

民俗学者・宮田登さんが『生まれ清《きよ》まり』という、奥三河《みかわ》の花祭り「シラヤマ（白山）」行事について、朝日新聞に次のような文を書いておられました。

……畑の真中《まんなか》に白い御幣《ごへい》で覆《おお》われた建物がつくられ、クライマックスに鬼によって破壊《はかい》される。その建物の中には、六十歳になった村人たちが前夜よりこもっている。とび出てきた男女を見た人々は、あの人たちは神の子になったと喜ぶ。これを「生まれ清《きよ》まり」と称《しょう》したのである。

……恐らく人は一生の間、何度も「生まれ清まり」をつづけながら、生きつづけるのであろう。毎年正月をくり返す気持ちの奥にも「生まれ清まり」があるから、年末衰《おとろ》えかかった心身に活力をつけるのである。（以下略）

これは民俗学でいう「擬死再生《ぎしさいせい》」の行事です。生きているうちに「死んだ」体験をし、あらたに「神の子」として「生まれ清まる」のです。こうした体験をすると、人は「健康」で「幸福」になり、「長生きをする」といわれます。それまでの人生にあった「罪や病気など、すべての不幸をぜんぶ洗い流す」と信じられているからです。

◎善光寺の「胎内《たいない》くぐり」

長野の善光寺《ぜんこうじ》にお参りされた方は、本堂下の「胎内くぐり」（回壇《かいだん》めぐり＝戒壇《かいだん》めぐり）をご存じでしょう。曲《ま》がりくねった真っ暗なトンネルがあり、その中を通って出てくると、「極楽往生《ごくらくおうじょう》」できると信じられています。

暗闇のトンネルが「あの世」です。ここをめぐることで、死を体験します。トンネルの中では亡《な》くなったわが子に会えるとか、また、そのとき履《は》いたものを棺《ひつぎ》に入れると往生できるそうですが（五来重著『善光寺まいり』平凡社）、胎内のトンネルから出てきたときには「生まれ清《きよ》まり」になっています。

四国・善通寺《ぜんつうじ》（香川県）の本堂下や鎌倉（大船《おおふな》観音《かんのん》の裏）にもあります。会津の飯盛山の横の「さざえ堂」も、かつてはそうしたお堂でした（現在はちがいます）。

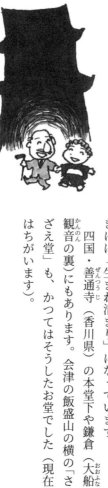

◎聖徳太子の古墳「磯長陵《しながりょう》」

聖徳太子のお墓は円墳《えんふん》で、いまは叡福寺（大阪府太子町）というお寺の一部です。平安・鎌倉時代は自由に出入りできたらしく、胎内《たいない》くぐりに通じるお坊さんの修行場《しゅぎょうば》でした。平安時代には弘法大師《こうぼうだいし》・空海《くうかい》や何人かのお坊さん、それに東大寺を再建した鎌倉時代の重源上人《ちょうげんしょうにん》もここにこもって、「擬死再生《ぎしさいせい》」の修行をした記録が残っています（『聖徳太子伝私記』）。

各地にある練供養《ねりくよう》のお寺

全国各地に残る「練《ねり》供養」も同様の行事です。宗教民俗学者・五来重《ごらいしげる》先生の『先祖供養と墓』（角川書店）という本を参考にしながらご紹介します。

練供養とは、アミダ様が二十五人のボサツとともに迎えにきて浄土へ導くという、「迎講《むかえこう》」です。こうした寺には「浄土堂」と「娑婆堂《しゃばどう》」があり、その間に橋掛《はしが》かりをつけ、そこを往来《おうらい》します。古くは「厄年《やくどし》」の人がボサツに扮装《ふんそう》して「厄《やく》落とし」をしました。娑婆（この世）から浄土（あの世）へ出て往《ゆ》き、また還《かえ》ってきます。浄土へ往く（死ぬ）

ことによって極楽往生が決まり、この世に還ってくる（生まれ清まる）と、病気がよくなり、寿命《じゅみょう》も延《の》びる、と信じられているのです。

有名なのは奈良の当麻寺《たいまでら》です。ほかに矢田寺《やたでら》（＝金剛山寺《こんごうせんじ》・奈良）、泉涌寺《せんにゅうじ》・即成院《そくじょういん》（京都）、大念仏寺（大阪）、九品仏《くほんぶつ》・浄真寺《じょうしんじ》（東京）、太山寺《たいさんじ》（兵庫）、千手山《せんじゅさん》・弘法寺《こうぼうじ》（岡山）、法然上人ゆかりの誕生寺（岡山）、大伝寺《だいでんじ》（鳥取）などがあります。

このように「練供養《ねりくよう》」や「胎内《たいない》くぐり」、「還暦《かんれき》」などさまざまな「擬死再生《ぎしさいせい》」の行事が古くから民間信仰としてありますが、その一つが、生前にお墓を建てる「寿陵《じゅりょう》」だったのです。こうした行事や風習は、病気が治《なお》り、これまでの罪が消え（＝滅罪《めつざい》）、健康で長生きできる、という現世利益《げんぜりやく》によって、多くの人々の信仰を集めています。

寿陵のルーツは秦《しん》の始皇帝《しこうてい》

中国で兵馬俑《へいばよう》が発掘《はっくつ》されて話題になりました。それは秦の始皇帝（紀元前三世紀前半）が生前、三十五年もの年月をかけ、七十万人の受刑者につくらせた「驪山陵《りざんりょう》」の一部でした。実は、これが「寿陵」の始まりです。その後、中国から日本へ渡来した人々が、こ

うした古墳の造築法や「寿陵」を伝えました。
始皇帝は道教の「不老長寿《ふろうちょうじゅ》」を信じたことでも有名ですが、不老長寿のくすり「金丹《きんたん》」は、金と水銀が基本物質です（吉田光邦著『錬金術』中央公論社）。水銀の原料は朱《あか》い「丹砂《たんしゃ》」です。司《し》馬遷《ばせん》の『史記』によると、始皇帝の山稜《さんりょう》の地下に水銀の川がめぐらされていたそうです。水銀には「不老長寿の願い」が込められています。それが朝鮮半島や古代日本に伝わりました。

◎なぜ戒名《かいみょう》を朱《あか》くするのか？

最近の生前墓は、建墓《けんぼ》した人が生きている間は「建立《こんりゅう》者」の（姓《せい》でなく）名を朱色《あかいろ》にしますが、本来は「戒名」の部分を朱くします。これはインド仏教の習慣ではありません。

中国に始まった習慣で、ルーツは始皇帝の山稜です。

日本の古墳の石棺《せっかん》や木棺《もっかん》の内側はほとんど水銀の朱が塗《ぬ》ってあります。考古学者は「防《ぼう》腐剤《ふざい》」といいますが、本当は「不老長寿の願い」です。これが寿陵の朱文字本来《あかもじ》の意味です。現代中国でも寿陵には朱文字を入れます。

◎仏教の「逆修《ぎゃくしゅう》」とお位牌の朱文字

仏教の「逆修」とは（「逆」は「あらかじめ」とも読みます）、生前に戒名をいただき、お位牌やお墓の戒名に朱文字を入れて、あらかじめ自分の死後の供養《くよう》をすることです。その功徳《くどく》は計《はか》り知れない、と『地蔵本願経《じぞうほんがんきょう》』にあります。

生前墓を建ててよりよい人生を

生前にお墓を建てることは、道教の「不老長寿の願い」と仏教の「功徳」や「滅罪《めつざい》」とが結びつき、日本人の生き方に新しい「もう一つの人生」を教えてくれました。

生前墓に込められた「これからの人生をよりよく生きるためのすばらしい智恵」を、ぜひ活用してください。

第13章　戒名法名ってな〜に

戒名《かいみょう》（法名《ほうみょう》）料は…

最近は、「戒名（法名）料はどうも不透明《ふとうめい》で……」といわれます。「戒名（法名）」や「お布施《ふせ》」の値段は本当によくわかりません。
ところで、亡《な》くなったときにいただく「戒名」や「法名」には、どんな意味があるのでしょうか？

いろいろな名前

戒名や法名もそうですが、古来、日本には本名（実名）のほかに幼名《ようみょう》、字《あざな》、渾名《あだな》（愛称《ニックネーム》）、老舗《しにせ》で受けつぐ屋号（店主名）、芸術家などの俳号《はいごう》や雅号《がごう》、ペンネーム、歌舞伎《かぶき》や芸事《げいごと》の芸名、力士《りきし》の四股名《しこな》、それにネオン街には源氏名なんていうのもあります。

日本人は昔からいろんな名前をつけてきました

し、今でもそうした習慣が残っています。これは、命名《めいめい》・改名《かいめい》や襲名《しゅうめい》して名跡《みょうせき》を継《つ》ぐと、その人の運命や人格が変わるという、日本の「言霊《ことだま》」の考えが根底にあります。言霊とは言葉や名前に霊魂《れいこん》が宿ることです。名前をつけると、その名にふさわしい「たましい」が宿る、というのです。ですから生まれた子の命名をとても大切にしてきました。今はどうも少しちがうようです。

名を正す

『論語《ろんご》』（第十三）にこんな話があります。

門弟《もんてい》の子路《しろ》が「衛《えい》の国王から政治をまかせられたら、先生は何から着手《ちゃくしゅ》されますか」とたずねると、孔子《こうし》は「まず名を（実質どおりに）正しくする」といわれ「名が正しくないと、言葉に秩序《ちつじょ》がなくなり、仕事にならない。礼節《れいせつ》も音楽の調和《ちょうわ》も失われ、道理がなくなるから、刑罰《けいばつ》が乱れ、人々は不安で手足を休めることもできないからだ」と。つまり、「名」には実質（内容）が伴うことが大切だ、と孔子は説いています。

日本でも「名実《めいじつ》ともに日本一」とか「名は体《たい》をあらわす」などといいます。中国には

『名僧伝《めいそうでん》』がなく、『高僧伝《こうそうでん》』しかありません。それは、名前だけ有名で中身はからっぽの坊さんではなく、名実ともに高潔《こうけつ》な高僧たちの伝記をのちの世の手本として残したからです。

戒名・法名のルーツは

中国や日本も、昔は成人には「本名」で呼ぶことを避《さ》けました。本名には魂が宿っているので、みだりに呼んではいけない、という考えです。そこで人々は、本名の代わりに「字《あざな》」や「諱《いみな》」を付けて呼びました。「字」は、成人(元服《げんぷく》)したときに付ける名前です。「諱」とは「忌《い》み名」のことで、人が亡くなると生前の本名で呼ぶことを避けるために付けます。

また、生前の功績をたたえて贈る称号《しょうごう》を「諡《おくりな》」といいます。古代中国の〈礼〉のきまりで、中国の天子や日本の天皇あるいは朝廷《ちょうてい》から贈られる「諡」を「諡号《しごう》」といいます。弘法大師《こうぼうだいし》や伝教大師《でんぎょうだいし》も諡号です。

中国では三千年以上も前から「字」や「諱」、「諡」が定められ、日本にも影響を与えました。のちに中国や朝鮮《ちょうせん》から仏教が伝わり、「戒名」・「法名」という新しい名前が日本に入って来ました。「法の名字《みょうじ》の意。法号《ほうごう》、あるいは法諱《ほうき》と称す。出家授戒《しゅっけじゅかい》のとき、俗名《ぞくみょう》を改めて授《さず》けらるる法の名字をいう。……法名は授戒の後《のち》授けらるるが故に戒名とも称す」、と辞典にあります（『望月佛教大辞典⑤』「法名」）。もちろん生前にいただく名前です。ところが日本だけは、亡《な》くなると髪を剃り（剃髪《ていはつ》）、戒を授《さず》けて（授戒し）、戒名（法名）をつける習慣が生まれました。いわば仏教の「諱《いみな》」で、日本以外の仏教国にはない習慣です。もちろん仏教の影響が大きいのですが、すでに古くから日本には「言霊《ことだま》」や死後につける「諱」の考え方が根付いていたことも見逃《みのが》せません。

成仏往生《じょうぶつおうじょう》のため

もともと「戒名」と「法名」にちがいはありません。世俗の生活を捨て（俗名《ぞくみょう》を捨て）て、仏教の信仰に生きる仏弟子となった「あかし」にいただく名前です。それが没後《ぼつご》に戒名（法名）をつけるようになるのは、仏教によって「死者を救う」ためでした。

亡《な》くなった人をホトケ様として「成仏」させ、苦しみのない安楽《あんらく》の「極楽浄土《ごくらくじょうど》」へ往《おう》生《じょう》させるには、どうしても故人《こじん》を「剃髪《ていはつ》」にし、「授戒《じゅかい》」させて仏弟子とする必要があります。その「あかし」が、没後の戒名（法名）で、仏式の葬儀は、まさに故人の得度式《とくどしき》です。

戒名（法名）のしくみ

没後の戒名（法名）が初めて文献《ぶんけん》に出るのは室町時代の『松平記』（一五三五年）です。続いて江戸時代の『日葡辞書《にっぽじしょ》』（一六〇三～四年成立）には「カイミョウ＝死後に付ける名」とあります（『日本国語大辞典③』小学館）。

江戸時代に檀家制度《だんかせいど》ができると、宗派別に「戒名」・「法名《ほうみょう》」・「法号」などの呼び方がハッキリします。たとえば、浄土真宗は「戒」の授受《じゅじゅ》がありませんから、「戒名」といわず「法名」といいます。日蓮宗では「戒名」のほかに「法号」といいます。これは『法華経』で、おシャカ様が智恵第一の弟子といわれた舎利弗《しゃりほつ》に「華光如来《けこうにょらい》」の号（仏号＝法号）を授けたことに由来します（『法華経』譬喩品《ひゆほん》第三）。そのほかの宗派では普通、「戒名」といいます。

日本最初の法名は、飛鳥《あすか》時代に司馬達等《しばたっと》の娘・嶋《しま》が十一歳で出家したときの「善信尼《ぜんしんに》」でした（『日本書紀』巻二十・敏達天皇十三年＝五八四年）。また聖武天皇《しょうむてんのう》は鑑真和上《がんじんわじょう》から授戒《じゅかい》され、法名（法諱《ほうき》）「勝満《しょうまん》」を受けられました（七五四年）。以後、歴代天皇のうち三十代もの天皇が法名を受けておられます（辻善之助著『日本仏教史①』岩波書店）。

ところで「善信」も「勝満」も二字ですが、戒名（法名）は本来、二字が原則で、今でもそれは変わりません。「いや、うちの位牌の戒名はちがう」といわれそうですが、見慣れた戒名は、ほぼ次のとおりで、そのうち、「○○」の二字が本来の戒名（法名）です。

（院号・院殿号）（道号）（戒名）（位号）
□□院〈院殿〉△△○○居士（大姉）

・□□＝院号《いんごう》（院殿号《いんでんごう》）

「院」や「殿」は皇族《こうぞく》、貴族、武士が出家、隠棲《いんせい》した住居を寺院に寄進《きしん》した場合に贈られる尊号《そんごう》です。院号の最初は冷泉《れいぜい》天皇の「冷泉院」で天皇だけのもの、院殿号は足利尊氏《あしかがたかうじ》の「持統《じとう》院殿」で将軍家だけのものでした。江戸時代には天皇や貴族の院号より武家の院殿号を上位として、それが今も続いています。ところでみなさんは、お寺にお堂を寄進して「院殿号」をいただきますか？　院殿号や院号とは本来そういう意味の尊号です。なお、真言宗では梵字《ぼんじ》「ア」（大日如来）を院（殿）号の上につけ、子供には「カ」（地蔵菩薩）をつけます（智山派は戒名の上につける）。

・△△＝道号《どうごう》

道号は、中国の禅宗で仏道をきわめたとき、戒名とは別につけたもので「字《あざな》」ともいいます。一休宗純《いっきゅうそうじゅん》や夢窓疎石《むそうそせき》の一休と夢窓が道号です。未成年のときは道号をつけません。浄土宗では「誉《よ》号」があり「△誉」とし、特に五重相伝《ごじゅうそうでん》を受けた人だけにつけます。

・○○＝戒名（法名・法号など）

江戸末期の『塩尻《しおじり》』に「法名に戒名あり、道号あり。されど中世までは貴人《きじん》といへ《(え)》ども只《ただ》二字の法名の外《ほか》、別に道号を書く事なし。御堂関白道長公《みどうかんぱくみちなが》の法名を行覚《ぎょうかく》と号し……」（第五十五）とあります（『望月佛教大辞典』）。戒名・法名は宗派の特徴《とくちょう》をしめす特別な文字を入れる他は、どの宗派も二字です。日蓮宗には日蓮聖人にちなむ日号の「日○」（男女）や法号の「法○」（男）、「妙号」の「妙○」（女）があります。浄土真宗の法名は「釈○○」（男）、「釈尼○○」（女）とします。

・位号《いごう》

「居士《こじ》」（男）は在家の篤信家《とくしんか》です。インドの維摩《ゆいま》居士や中国の寒山《かんざん》・拾得《じっとく》などは僧侶をしのぐ仏道体得者《たいとく》として有名です。「大姉《だいし》」（女）とは尼僧のことでしたが、居士に対する女性の位号に用います。「禅定門《ぜんじょうもん》」（男）・「禅定尼《ぜんじょうに》」（女）は、浄土宗で五重相伝《ごじゅうそうでん》を受けた人につけた位号ですが、今では他宗派も用います。「信士《しんじ》」（男）・「信女《しんにょ》」（女）も僧・尼僧のことでしたが、在家の位号に用いられています。以上のいずれにも「大」や「清」（女）

の字をつけて大居士・清大姉《せいだいし》のような尊称としています。子供の場合、七歳から十五歳までは「童子」・「童女」を、それ以下は「幼子《ようじ》・幼児」「嬰子《えいじ》・嬰児」「孩子《がいじ》・孩児」（以上男子）、「幼女」・「嬰児」・「孩女《がいじょ》」（以上女子）と書きます。不幸にも死産や流産をされた場合は「水子《すいじ》」とします。

・浄土真宗の法名

浄土真宗の法名は、院号（院殿号）・道号・位号を原則としてつけません。「釈《しゃく》○○」（男）、「釈尼《しゃくに》○○」（女）だけです。最近は、「他よりも見劣《みおと》りする」というので、門徒《もんと》さんの希望を入れて院号や位号をつけることもあります。私個人は、真宗の表記は仏教の原点どおりシンプルで、しかも実《じつ》が感じられるので、とても好感を持っています。

戒名（法名）のあり方

「戒名（法名）料が高くて不透明《ふとうめい》」なのは、どうも「等価交換《とうかこうかん》」になっていないから、戒名料に見合う「価値」が感じられない、という不満です。実はこの「価値」を支《ささ》えているのは「信仰《しんこう》」です。みなさんに「信仰がないからだ」と、一方的に責《せ》めているのではありません。むしろ、形ばかりの枕経《まくらぎょう》をあげて、高い戒名料を取る一部のお坊さんに、「故人を救う」宗教者としての自覚と信念がないことにこそ、問題の本質があるような気がするのですが……。

これからの戒名（法名）には、「名を正す」こと、つまり没後の戒名（法名）の本質にもう一度立ち帰る必要がある、と私は思います。

故人に戒名や法名をつけ、あの世でホトケ様となって安らかに極楽往生していただく、という、すばらしい仏教の「死者を救う」理念を、「名実ともに」活かすことがもっとも大切だ、と思うのです。

※参考文献…『戒名・法名・神号・洗礼名大事典』鎌倉新書ほか。

第14章　お地蔵様ってな～に

村のはずれでみてござる

お地蔵《じぞう》様といえば、私などすぐに口に出るのが歌謡曲『別れの一本杉』の「石ィ〜の、地蔵さんのォよー、村ァは〜ず〜れー」や、童謡『みてござる』です。

♪　村のはずれの　お地蔵さんは
いつもニコニコ　みてござる
仲良しこよしで　ジャン・ケン・ポン
ほれ　みてござる　♪

『みてござる』はお地蔵様がテーマです。
では、なぜお地蔵様は、いつも「村はずれ」で子供たちを「みてござる」のでしょうか?

お地蔵様ってどんな方?

お地蔵様はインド生まれのボサツです。正式なお名前はクシティ・ガルバ。クシティは

「大地」、ガルバは「母胎」という意味で、漢字に意訳して「地蔵」といわれます。もとはインドの農業女神で地神でした。バラモン教の神となり、のちに仏教のボサツになります。そして「大地のようによく善根《ぜんこん》をそだてる偉大な力があり」（『地蔵十輪経《じぞうじゅうりんきょう》』）、人々にさまざまな現世の利益をもたらし、特に地獄で苦しむ人たちの救済という大きな使命（本願）を担っています。

お地蔵様の代表的なお経は『地蔵十輪経』・『地蔵本願経』・『占察善悪業報経《せんさつぜんなくごうほうきょう》』（地蔵三経）です。お経によると、おシャカ様が亡くなられてから五十六億七千万年後に弥勒如来《みろくにょらい》（菩薩《ぼさつ》）が世に現れるまでの、仏様のいない末法《まっぽう》の間、おシャカ様から六道《ろくどう》に苦しむ人々の救済を委ねられたのが地蔵ボサツだ、と説かれています。

しかし、お地蔵様はボサツのお姿ではなく「僧《そう》形《ぎょう》」といって、修行僧のように頭を丸め、僧衣を身につけ、右手に錫杖《しゃくじょう》という杖《つえ》、左手に宝珠を持っておられます。いつどんなときでも、たと

え地獄でもみずから進んで入っていって、人々の苦しみを救う、という意志のあらわれです。中国では僧形の地蔵ボサツ像が、敦煌《とんこう》の壁画に『十王経地獄図』として数多く描かれています。

アミダ様を超えたボサツ

「地獄にホトケ」というと、このホトケ様はアミダ様のようですが、実はお地蔵様です。

たとえば後白河法皇（平安末）による今様《いまよう》と歌謡の撰集『梁塵秘抄《りょうじんひしょう》』には、「我《わ》が身は罪業《ざいごう》重くして、終《つい》には泥犂《ないり》（＝地獄）へ入りなんず、入りぬべし、カラダ山《せん》（インドの地名）なる地蔵こそ、毎日の暁《あかつき》に、必ず来《きた》りて訪《と》うたまへ」（岩波文庫二八三番。ほかに四〇番）とあり、『平家物語』二「地獄にて罪人どもが地蔵菩薩《じぞうぼさつ》を見奉《みたてまつ》らむも、かくやと覚《おぼ》えて哀《あわ》れなり」（小教訓《こぎょうくん》の事《こと》）とか、近松門左衛門の浄瑠璃《じょうるり》『女殺油地獄《おんなごろしあぶらのじごく》』上に「地ごくの地ぞう」などの用例があります。

私たちは、あの世で苦しむ人々を救うのはアミダ様、と思いがちです。たしかにアミダ様は「臨終のとき、私の名前をとなえ（「ナムアミダブツ」ととなえ）る人はみな極楽浄《ごくらくじょう》土《ど》へ往生《おうじょう》させる」と誓われました（『阿弥陀経《あみだきょう》』）。しかし、生きているうちか臨終のときに念仏をとなえないとお迎えに来てくれません。

ところがお地蔵様は、臨終や念仏に関係なく、有縁無縁《うえんむえん》の人が、すでに地獄へ堕《お》ちて苦しんでいても、地獄まで出かけて行って、かならずみんな平等に救ってくださいます。そこで地蔵ボサツの人気がアミダ様を超えてしまったのです。

平安末期に、おシャカ様の教えが滅びるという末法《まっぽう》思想が広まると、名もない人々はこぞってお地蔵様の信仰を始め、日本中に「地蔵信仰」が急速に普及しました。それは今でも根強く生きています。

エンマ大王はお地蔵様の化身《けしん》

でも、それぐらいで驚いてはいけません。あの恐ろしい地獄のエンマ大王の正体が、実はお地蔵様だった、というのです。

先ほどの『地蔵本願経』巻上に「地蔵ボサツは六道《ろくどう》で罪苦《ざいく》に苦しむ人々を教化《きょうげ》することを本願とし、人々が成仏《じょうぶつ》するまでさとりは開かない」と誓われ、「地獄で苦しむ人々を救うためにエンマ大王と化《な》る」とあります。『地蔵十輪経』序品《じょぼん》にも「あるいはエンマ王の身と作《な》り、あるいは地獄の獄卒《ごくそつ》となり、あるいは地獄の身となって人々を救う」とあります。

そこでときには、地獄・餓鬼《がき》・畜生《ちくしょう》の三悪道《さんあくどう》（これが「三途《さんず》」です）に堕《お》ちて苦しむ人々の身代わりになって、地獄の責《せ》め苦を受けられます（身代わり地蔵）。お地蔵様はそれほど慈悲《じひ》深いお方だったのです。

賽《さい》の河原のうた

そんなところから、民話の中にも親しみを込めて、いろんなお地蔵様が数多く活躍します。重労働や田植え作業をする泥足《どろあし》地蔵・土付《つちつき》地蔵・田植地蔵、戦場で危ないところを救う勝軍《しょうぐん》地蔵・矢《や》取《とり》地蔵・縄目地蔵、また子供の守り本尊としての子安《こやす》地蔵・子育《こそだて》地蔵・夜泣き地蔵など、多くの人々から広く親しまれています。とりわけ子供の成長と安全を守るお地蔵様ほどありがたいものはありません。

　とても悲しいことですが、人には幼《いと》けないわが子を失わなければならないときもあります。幼くして亡くなった子供たちは三途《さんず》の川のほとりにある「賽《さい》の河原」で、懸命《けんめい》に石を積んで「石塔」をつくっています。その情景をうたったのが、「一つ積んでは父のため」という『賽の河原地蔵和讃《わさん》』です。

…二《ふた》つや三《み》つや六《む》つ七《なな》つ、十《とう》にも足らぬ幼児《おさなご》が、…、
小石《こいし》小石を持ち運び、これにて回向《えこう》の塔《とう》を積《つ》む、…、
一重《ひとえ》積んでは幼児が、紅葉《もみじ》のような手を合わせ、
父上菩提《ぼだい》と伏《ふ》し拝《おが》み、二重《ふたえ》積んでは手を合わし、
母上菩提と回向《えこう》する、三重《みつえ》積んでは古里《ふるさと》に、
残る兄弟《きょうだい》わがためと、礼拝回向《らいはいえこう》ぞしおらしや、…、
おりしも西の谷間より、能化《のうげ》の地蔵大菩薩《だいぼさつ》、

ゆるぎ出《い》でさせ給《たま》いつつ、…今日より後《のち》は我こそを、
冥途《めいど》の親と想《おも》うべし、幼きものを御衣《みころも》の、
袖《そで》や袂《たもと》に抱《だ》き入れて、…いまだ歩まぬ嬰児《みどりご》を、
錫杖《しゃくじょう》の柄《え》に取り付かせ、…助け給《たも》うぞありがたや。

お地蔵様が「あの世の親」となって、幼い子供たちを慈《いつく》しんで下さっています。だから、幼い子供のお墓にはお地蔵様を墓石として用います。それは宗派を超えた、人々の切なる願いのあらわれでもあります。

六地蔵とお墓

墓地の入口やお寺でお地蔵様が六体並んだ「六地蔵」をよく見かけます。もちろん天界・人界《にんかい》・阿修羅界《あしゅらかい》・畜生道《ちくしょうどう》・餓鬼道《がきどう》・地獄の六道《ろくどう》それぞれの世界で苦しむ人々を救うためです。そしてまた死者と生者の境界にあって、ちょうど「道祖神」や「塞《さえ》の神」と同じ境界石《せき》の役目をしています（第3章『なぜお墓は石なの』を参照）。

境界石は、私たちが住み暮らしている日常の世界と、そうではない外の世界（異界）との境目に立てられ、さまざまな働きをします。昔は今ほど交通がよくありません。外の世界の往来《ゆきき》はごく限られていたので、善《よ》いことも悪いこともみな、日常でないことは外界からやって来る、と思われていました。善いことは大歓迎ですが、疫病《えきびょう》などは村の境界に「塞の神」をつくって防《ふせ》がねばなりません。未知の外の世界へ出て行くときは、村はずれで旅先の安全を祈るため「道祖神」をつくりました。

同じようにお墓の入口は、生きている人の世界と亡《な》くなった人の世界との境界です。そこに立つ六体のお地蔵様は、あの世へ旅立つ人の安全と安らぎ（救い）を祈る「道祖神」であり、死者が迷ってあの世からこの世へ帰ってこないための「塞の神」です。

六地蔵は、もとは六観音《ろっかんのん》の発想から生まれた信仰です。当初は天台宗《てんだい》と真言宗《しんごん》とでは、お地蔵様の持ち物も呼び名もちがっていました。しかし長い間に宗派にこだわることもなく、庶民のレベルで、一つの六地蔵へとまとまっていきました。それが民俗です。そしてこれを「習俗《しゅうぞく》」といいます。習俗はその国民が共有する「良識《りょうしき》」のようなもので、誰の心にも素直《すなお》にひびく、とてもわかりやすい宗教ではないか、と私は思っています。特定の宗教ではなく、日本人の誰にでも理解できる宗教だろう、と思います。

「これこれ石の地蔵さん、西へ行くのはこっちかえ」（『旅笠道中《たびがさどうちゅう》』）と美空ひばりさんも歌っていました。路傍《ろぼう》の石のお地蔵さんは、旅する人の安全を見守っています。さまざまな苦しみ、悩《なや》み、悲しみを救い、私たちの願いをかなえ、弱い者や正直《しょうじき》な人の味方をしてくれます。そして幼い子供が大好きです。

無心に遊ぶ子供たちを村はずれや町の辻から、あたたかな眼差《まなざ》しでいつも「ニコニコみてござる」お地蔵様は、すこやかで善い子に育ってほしい、という私たちの素直な気持ちのあらわれにほかなりません。亡くなった家族があの世で苦しまず、いつまでも安らかでいてほしい、と願う、残された家族の祈りそのものです。

私たちはお地蔵様やアミダ様や観音《かんのん》様のお名前をお借りしていますが、そこに託《たく》されているのは、私たち一人ひとりの、そして家族みんなの末長い「幸せ」と「健康」ではないでしょうか？　石のお地蔵さんを見かけたら、そんな気持ちで静かに手を合わせてください。

第15章　写経ってな～に

なぜお墓に「写経《しゃきょう》」なの？

「お墓には、写経を入れた方がよい」といわれたり、お墓の本で読まれたかもしれません。ではなぜ、お墓に写経を納めるのでしょうか？　いつこんな習慣ができたのでしょうか？　写経にはどんな意味があるのでしょうか？

「写経」はお経のコピー

仏教は、今から二千五百年ほど前の古代インドで、おシャカ様によって生まれました。おシャカ様は八十歳（紀元前四八〇年頃）で入滅《にゅうめつ》されましたが、残された五百人のお弟子さんたちが集まって、おシャカ様の言葉（教え）を正しく残すため、「私はこのように聞いた（如是我聞《にょぜがもん》）」と全員で一つひとつ確認しながらまとめました。それでお経の最初はかならず「如是我聞」で始まります。

おシャカ様の入滅直後から数百年間に何度も行なわれたのが「仏典結集《ぶってんけつじゅう》」です。しかし聖人の言葉は「口伝《くでん》」する、というインドの古い習慣によって文字にせず、そのまま暗誦《あんしょう》して伝える方法が採《と》られました。それから数百年後に、口伝でなくターラ（多羅樹《たらじゅ》）

の葉に文字でお経が記録され始めました。これが「貝葉《ばいよう》」で、「写経」つまりお経のコピーの始まりです。

日本にも中国からもたらされた古代インド語の貴重な「梵文《ぼんぶん》（サンスクリット語）貝葉」が奈良の法隆寺に残っています。中国にたくさんの「梵文貝葉」が伝えられましたが、漢訳されると原典は棄《す》てられて、ほとんど残っていません。そして中国で木版印刷が発達すると、「写経」は別な意味を持つようになりました。

写経の功徳《くどく》とは？

「写経」は、多くの人々を救う目的の「大乗仏教」を主張するお坊さんたちによって始められました。中国・チベット・朝鮮半島・日本に伝わった仏教はほとんど大乗仏教です。
大乗仏教のお経には「写経をすると、はかりしれない功徳がある」と説いています。

それを強調するのは『法華経《ほけきょう》』で、「法師品《ほっしぼん》（第十）」には「法華経を心にとどめ、口で読み、人に教え、手で写経し、このお経に花・香・水などを供《そな》え、供養《くよう》し、合掌《がっしょう》し、うやまえば、……この人は来世《らいせ》でかならず仏となる」（岩波文庫『法華経』中・一四二ページ以下）とあります。

「写経」をすると来世では、かならず仏となれるのですから、たいへんな功徳《くどく》です。

ちなみに「功徳」とは、善《よ》い行ないを積《つ》むことで「解脱《げだつ》（＝完全なさとり）」を得るための「福徳」が備《そな》わることです。つまり善い行ないを「貯金」することです。そのうえ自分で貯《た》めた功徳は、貯金と同じように、亡《な》くなった人の幸せ（＝冥福《めいふく》）のためや、他の人にもふり向けることができます。他の人に融資《ゆうし》できるのです。これは大乗仏教をささえる重要な「回向《えこう》」の考えです（梶山雄一著『「さとり」と「回向」』講談社現代新書）。

写経のほかに、功徳を積むには、寺をつくる（造寺）・仏像をつくる（造仏）・卒塔婆《そとうば》（ストゥーパ）をつくる（造塔）・三宝《さんぼう》（仏・法・僧）を供養する、などがあります。

追善のための写経

おシャカ様が説かれた教えの「経典《きょうてん》（お経）」は、のちに、経典そのものが信仰され始めます。おシャカ様のお骨（仏舎利《ぶっしゃり》）を納める仏塔（ストゥーパ）を信仰するグループができたころです。いえ「仏塔」や「写経」を信仰する新しい仏教徒たちが「大乗仏教」を生み出したのです（梶山・前掲書）。

写経は中国や日本でも大々的に行なわれました。当初の目的は記録です。中国では後漢のころ（二五〜二二〇年）に始まり、日本では天武天皇の白鳳《はくほう》二年（六七三年）に「始めて一切経《いっさいきょう》を川原寺《かわらでら》に写したまふ」とあり（『日本書紀』第二十九）、飛鳥《あすか》でお経の全集（「一切経」）が書き写されました。のちに写経司《しゃきょうし》（役職）や写経所（役所）がおかれ、国家事業となります。

同時に中国や日本では、記録とは別に「功徳」を積み、亡《な》き人の生前の罪をなくすこと（懺悔滅罪《ざんげめつざい》）などを願って、写経がさかんに行なわれました。写経の末尾《まつび》に「願文《がんもん》」（願いごと）や「為書《ためがき》」（目的）を書きますが、奈良時代のお寺や正倉院《しょうそういん》に残る写経は、ほとんどが「過去七世の父母《ぶも》」のための「追善《ついぜん》」とか「滅罪」を込めた「願文」が書かれています（石田茂作著『写経より見たる奈良朝仏教の研究』東洋文庫。竹田聴洲著『祖先崇拝』平楽寺書店）。これは、そのころ中国で行なわれていた写経の功徳や考えをそのまま受け容《い》れたものですが、日本へは仏教の伝来とともに入ってきました。

インドの埋経《まいきょう》と日本の経塚《きょうづか》

孫悟空《そんごくう》でおなじみの『西遊記《さいゆうき》』に三蔵法師《さんぞうほうし》が登場します。モデルの玄奘《げんじょう》法師（六〇二～六六四年）は、唐代《とうだい》を代表するたいへんな高僧です。玄奘がインドへ経典を求めて十七年間（六二九～六四五年）に及ぶ大旅行をした記録が『大唐西域記《だいとうさいいきき》』です。この書は当時のインドや西域の仏教事情をつぶさに見聞《けんぶん》した貴重《きちょう》な記録ですが、その中に、おシャカ様のお墓（卒塔婆《そとうば》＝ストゥーパ）をつくって「写経」を納める「埋経《まいきょう》」のことが出ています。

「印度《インド》の風習に香木《こうぼく》の粉末を練《ね》って高さ五、六寸

の小さな卒塔婆《そとうば》をつくり、書き写した経文《きょうもん》をその中に安置する習慣があり、これを法舎《ほっしゃ》利《り》といっている。数が次第に殖《ふ》えると大きな卒塔婆を建てて、これをみな集めて常に供養を行なうのである」とあります（水谷真成訳『大唐西域記《だいとうさいいきき》』巻第九「摩掲陀《マガタ》国」下・平凡社）。

おシャカ様の仏舎利《ぶっしゃり》（ご遺骨）がないときは、仏舎利と同じ価値があるとされる「写経」が用いられました。これを特に「法舎利《ほっしゃり》」といいます。当時のインドではお墓にお経を写して納める（埋経）風習が広く行なわれていたことがわかります。それが中国へ伝わり、やがて日本の平安時代に始まる「経塚《きょうづか》」として独自の信仰が生まれました。

経塚とは、お経（特に『法華経』を書写供養することを「如法経《にょほうきょう》」といいます）や仏像・鏡などを経筒《きょうづつ》や経壺に入れて霊山といわれる山のお堂や石塔の下などに埋めたものです。納められるお経は『法華経』が最も多く、次いで『弥勒下生経《みろくげしょうきょう》』や『阿弥陀経《あみだきょう》』などがあります。現在、全国に五百六十余りの経塚がわかっています。

平安時代に経塚を日本に伝えた天台宗三世・円仁《えんにん》（慈覚大師《じかくだいし》・八六四年没）が遺言してつくらせた比叡山《ひえいざん》・横川《よかわ》の如法堂（経塚）や、関白《かんぱく》・藤原道長（一〇二七年没）が吉野山

（奈良）の金峰山寺《きんぷせんじ》に埋めた金銅製の「経筒」（国宝）はその代表的なものです。

道長の経筒には「阿弥陀経は極楽往生のため、弥勒経は生死《しょうじ》の罪を除く…」（銘文《めいぶん》）とあり、円仁のは「願《ねが》わくばこの功徳《くどく》を以《もっ》て、普《あまね》く一切に及ぼし、我等と衆生《しゅじょう》と、皆共に仏道を成《じょう》ぜんことを」（『如法堂筒記《にょほうどうつつき》』）と「願文《がんもん》」にあります（藪田嘉一郎著『経塚の起源』綜芸舎。関秀夫編著「経塚とその遺物」『日本の美術9』至文堂ほか）。

写経とお墓

貴族でなく、一般の人々が写経をお墓に埋めたのは鎌倉時代から、と私は思います。それは全国で活躍した「別所聖《べっしょひじり》」や「高野聖《こうやひじり》」が広めました。

私が訪ねた霊場の山寺《やまでら》（立石寺《りっしゃくじ》・山形）や鎌倉の「やぐら」、高野山《こうやさん》奥の院、弥谷寺《いやだにじ》（香川）、臼杵《うすき》石仏群（大分）などの五輪塔や石仏には小さな穴があり、写経とともにお骨・遺髪を納めた跡《あと》がありますし、室生寺《むろうじ》の弥勒堂《みろくどう》（奈良）、八葉寺《はちようじ》（福島・会津）、山寺《やまでら》などでは、何百、何万基という高さ一〇センチほどの小さな木製の五輪塔や宝篋印塔《ほうきょういんとう》に小さな穴があけられ、お経・お骨・遺髪が納められているからです。

また全国には、お葬式のとき、「経帷子《きょうかたびら》」や霊場札所の「朱印《しゅいん》」のある「白装束《しろしょうぞく》」を棺桶《かんおけ》にかけて覆《おお》ったり、死者に着せる風習もあります。これらは「写経」をお墓に納めるのと同じ意味です。亡《な》くなった人の生前の罪をすべて消し去り（「滅罪《めつざい》」）、無事に「成仏《じょうぶつ》」し、安らかな「極楽往生《ごくらくおうじょう》」を願う、家族の祈りとやさしい想いが込められています。

写経のすすめ

私は「写経」をおすすめしています。一つには、忙しすぎる現代人の生活に、静かに写経をする心のゆとりが大切だ、と思うからです。

写経の前に手を洗い口をすすぎ、静かな部屋にお香をたき、背筋を伸ばし、ゆっくり硯《すずり》で墨《すみ》をすります。これは心身と部屋の準備です。写経はかならず毛筆で書きます。字の上手《じょうず》・下手《へた》は関係ありません。市販またはお寺でいただいた「手本」を見ながら、罫線《けいせん》のある専用紙（市

販）に、急がず一字一字ていねいに楷書《かいしょ》で書く練習を、何度も繰り返します。字を書くときは心と身体に余分な力を入れないことが肝心《かんじん》です。

宗派別の写経は、お寺さんに相談してください。

浄土真宗以外は『般若心経《はんにゃしんぎょう》』が最適です。真宗の方は『正信偈《しょうしんげ》』がよいでしょう。誤字・脱字などの修正や「願文《がんもん》」「為書《ためがき》」の書き方は市販の本に出ています。

亡き人の幸せを祈りながら、間違わずに書けたら、「願文」を書いて、お墓に納めてください。

そのとき、とても爽《さわ》やかな気分に気づくはずです。

第16章　お墓は幸せのシンボル

お墓は好きですか?

講演のときに「お墓は好きですか」とたずねますが、あまり反応はありません。「では、お墓が好きでたまらないという方は、手をあげてください」というと、笑いながら一人か二人は手をあげる方がおられます。もちろん私はお墓が大好きです。だから明治~大正時代に、日本のお墓を心から愛したポルトガル人がいたことを知って、本当にうれしくなりました。

日本のお墓を愛したモラエス

ポルトガル人モラエスの日本随想記《ずいそうき》『徳島の盆踊り』(岡村多希子訳・講談社学術文庫)には、現代の日本人が忘れかけている先祖崇拝《すうはい》とお墓の魅力が、心温まる美しい文章でつづられています。少し紹介します。

—(死者は)「ほとけ」すなわち仏陀《ぶっだ》となる。一般に口にされる敬称《けいしょう》である「ほとけさん」は、自分が生きていた土地や家族を忘れず、好物だった食べものの味や、好きだった花の香りさえも忘れることなく、（家族が）寄せてくれるやさしいおもいに感謝し、よろこんで彼らを保護する。ここから先祖崇拝《すうはい》が生まれる。

―日本の家族が死者を祀《まつ》るのは寺院においてではない、墓地の墓のそばや家庭の祭壇《さいだん》においてである。…（死者の霊は）あらゆるものが見え、聞こえるのであり、もっともふさわしい場所、すなわち自分がかつて住んでいた家や、納骨《のうこつ》されている墓で尊崇《そんすう》されることを喜ぶのである。

―日本人が死を前にして穏《おだ》やかな諦念《ていねん》にひたっていられるのは、死者崇拝のおかげである。…死んで家庭の中にその場を占《し》め続け、妻あるいは夫の、子供たちの、孫たちの、曽孫《ひまご》たちの、玄孫《やしゃご》たちの、未来のすべての世代の愛情を受け続けることは、実をいえば、死ぬことではない。生きること、永遠に生きることなのである！

そしてモラエスは、日本のお墓参りの美しい習慣に感動したあと、次のように書いています。

――広大な墓地が無数にあるここ徳島で、墓地めぐりが自然と楽しくなって、習慣化した。死者のそばにいると、彼らをとりまく静かな風景の中にいると、…私の心は安らぎをおぼえる……。

長くなるので省略しますが、『徳島の盆踊り』には、現代人が失いかけている日本人の「ご先祖様」とともに生きる人々の幸せな生活が、いきいきと描かれています（モラエスについては、角川選書に林啓介著『美しい日本に殉《じゅん》じたポルトガル人・モラエス評伝』があります）。

日本人と「お墓の心」

亡き人に対するお墓やお葬式の儀式、おまつりは、いろいろな民族独自の「死」に対する考え方をもとにしてできています。「人は亡《な》くなるとどうなるか？」、「人はどこから来て、どこへ往くのか？」、「あの世はあるのか？」などという「死生観」、「死後観」、「霊魂観」、「他界観」は宗教や文化の問題になりますが、ここではそれを「お墓の心」と呼びます。

日本ではお墓をつくるのに、大きく分けて三つの考え方があった、と私は思います。

一、亡き人（死者）の魂《たましい》を救うため。

二、家族が栄え、幸せになるため。

三、死者のたたりやけがれを避《さ》けるため。

大雑把《おおざっぱ》にいうと、一は仏教が日本にもたらしたもの、二は中国の儒教《じゅきょう》や風水《ふうすい》の「先祖祭祀《さいし》」の影響を強く受けたもの、三は『古事記』や『日本書紀』など古代日本の神話にもとづく神道《しんとう》的な考え方、といえます。ただ「三」については、残念なことがあります。

お墓やお葬式を研究する多くの民俗学者や戦後の仏教学者たち、それに一部のお坊さんまでが、「死者のたたり・けがれ」ばかりを大きく取り上げて、「亡き人の冥福《めいふく》や家族の幸せ」のことをすっかり忘れてしまったかのように、口を閉ざしている点です。

モラエスが感動したように、古来日本人は、お墓や仏壇の前で、亡き人の冥福を祈り、ご先祖様を供養《くよう》しながら、ご先祖様とともに生活する幸せを感じてきました。

こうした習慣は、たぶん五〜六千年前の縄文《じょうもん》時代からあった、と私は思っています。だから日本人が、「たたりやけがれ」のためだけに、お墓をつくった、とはどうしても思えないのです。モラエスもきっと、そう感じていたはずです。

墓地で発見したこと

私は全国各地へ出張したとき、よくそこの墓地を訪ねますが、それはとても「楽しい時間」でした。墓地やお墓を「こわい」と思ったことはないのですが、初めのうちは少し薄気味わるくて、決して居心地《いごこち》のよい場所と思えませんでした。それが突然、あることに気づいて、すっかりお墓が大好きになりました。

蓮華台《れんげだい》のあるお墓の前に来たとき、何げなく、「なぜ蓮華をつけるのだろう？」と考えて、ハッと気づいたのです。「このお墓に眠っている人は、立派にホトケ様となって、今は極《ご》楽浄土《らくじょうど》で安らかに暮らしているんじゃないか！」と。蓮《はす》の華《はな》は、極楽浄土へ往生《おうじょう》するとき、亡き人がこの世から乗っていく「専用の乗物」です。また仏教そのもののシンボルであり、ホトケ様のシンボルとして仏像にはかならず「蓮華台」がついています。

そうすると、この蓮華台のついているお墓に眠っている人は、立派に「ホトケ様となった」（成仏《じょうぶつ》した）ことになります。私は思わず小さな声で「よかったですね」と声をかけました。そして同時に、このお墓を建てた家族の人の気持ちがよくわかりました。「残された家族はみんな、亡き人の幸せをひたすら願ってお墓を建てているのだ」と。

すると、とたんに、お墓や墓地が今までとちがって、「すばらしい場所」に見えたのです。とりわけ「お墓」には、亡き人の、あの世での幸せを願う家族一人ひとりの気持ちが、ギュッと凝縮《ぎょうしゅく》されているではありませんか。お墓はまぎれもなく「幸せのシンボル」なのだ、と感じられました。このことがあってから私は、お墓や墓地がたいへん好きになりました。

ポルトガル人のモラエスはきっと、キリスト教世界に無い、日本の「美しい心」に魅《み》了《りょう》されたのでしょう。そして彼は日本で生涯《しょうがい》を終え、こよなく愛した徳島のお墓の土に今も安らかに眠っています。

三内丸山《さんないまるやま》遺跡のお墓

縄文時代の定説を覆《くつがえ》した「三内丸山遺跡」(青森県)で変わった墓地を見て、私は本当に感動しました。集落の中央を通る広い道の両側の斜面に、向き合うように並んだお墓の列が、最初五〇メートルほど見つかりました。ところがその後、この道は四〇〇メートルほど発掘《はっくつ》され、その先は未調査です。しかも道の幅が、大型車など無論なかった五千年前に、なんと一五メートルもありました。今の国道並みの広さです。

これをどのように考えたらよいのでしょう? 考古学の見方は知りませんが、この情景を見たとき、私はすぐ、「あッ、これは村の全員が定期的にお墓参りをしたにちがいない」と感じました。そうでないと、こんな広い道は必要ありません。それで、「村中の人が行列しながらお参りするためのお墓の参道《さんどう》なんだろう」と思いました。

しかしこの道は海岸へ続き、海の幸《さち》やさまざまな珍しいものが入ってくる大切な道なので、大勢の人が往《い》き来し、大がかりな作業もしていたのなら、「お墓参り」だけが目的ではなかったかもしれません。

それにしてもなぜ、生活に必要な物資《ぶっし》を運ぶ道路の両側に、整然と列をなして、亡くなった人を埋葬《まいそう》したのでしょうか？　縄文人はきっと、亡くなった人たちに、もっとも大切な自然の恵みを見せ、亡くなった人々とともに生活していたのではないでしょうか？　これが日本人の「死生観」の原点と思います。

だから私には、民俗学者や仏教学者がいうように、死者の「けがれ」や「たたり」を恐《おそ》れてお墓をつくったり、遺体《いたい》を野山に棄《す》てるのが日本人のお墓の原点だとは、どうしても考えられないのです。弥生《やよい》時代の「吉野ヶ里遺跡」（佐賀県）で、首長《しゅちょう》の小高い墳丘墓《ふんきゅうぼ》と、多くの甕棺《かめかん》が埋葬された墓域《ぼいき》を見たときにも、三内丸山のお墓と同じことを感じました。

確かに長い歴史の中では天災・飢饉《ききん》・戦乱時に、野山に死者を棄てたかもしれません。しかし日本人は、本来、亡き人とともに暮らしました。たとえば、自分の土地にお墓をつくる「屋敷墓《やしきばか》」の風習が全国にたくさんあったのを見てもわかります（今は法律で規制されています）。

お墓が「幸せのシンボル」に見える人

かつての日本人は、「死んだらご先祖様になって、子や孫の面倒《めんどう》をみる」といいました。そんな老人がいたのも、ご先祖様とともに「幸せに生きる習慣」が日本にあったからです。今は、ほんの少し、そのことを忘れているのでしょうか？　こんなすばらしい習慣を、お墓参りのとき、家族そろって思い出してほしいのです。お墓が「幸せのシンボル」に見えると、それは自然に身につきます。

墓地でそんな家族に出会えたら、私は一日中幸せな気分になれるような気がします。

本書は小畠宏允著・小冊子「日本人のお墓シリーズ」（石文社）を再編集したものです。

小畠宏允（おばた・ひろのぶ）

福岡県生まれ（1945 ～ 2018 年）。龍谷大学博士課程単位取得。禅文化研究所および京都大学人文科学研究所で学ぶ。石文化研究所初代所長。著書に『禅の語録3　歴代法宝記』（共著・筑摩書房）、監修・リライト『新訂 先祖の話』（石文社）、監修・編著『日本人のお墓』（日本石材産業協会刊）他、随筆など多数ある。

お墓入門

2021 年 6 月 15 日　初版発行

著　者　小　畠　宏　允

発行者　中　江　　庸

発行所　株式会社石文社

〒 101-0032　東京都千代田区岩本町 3-1-5
電話　03-5829-6014
URL　https://www.ishicoro.net

印刷所　㈱平河工業社
製本　㈱国宝社

ISBN978-4-9907671-8-1　C0039